JEUNESSE

GAI SAVOIR

Rudyard Kipling
1865-1936

Né à Bombay en 1865, Rudyard Kipling est élevé en Angleterre et regagne les Indes à dix-sept ans. Il est alors journaliste et écrit son premier ouvrage *Simples Contes des collines*. Sept ans plus tard, il retourne en Angleterre et se consacre à l'écriture. Les deux *Livre de la jungle* paraissent en 1894 et 1895. Mais Kipling n'est pas seulement le chantre de l'Empire britannique, il promène sa curiosité aux quatre coins du monde. Ainsi, dans *Capitaines courageux* (1897), c'est l'histoire de l'Ouest américain et la vie des terre-neuvas qui vont l'inspirer. Le Prix Nobel lui fut décerné en 1902.

LE LIVRE
DE LA JUNGLE

RUDYARD KIPLING

LE LIVRE
DE LA JUNGLE

Préface de l'auteur

Traduit de l'anglais par
Jean-Pierre Richard

Illustrations :
Anne Tonnac

PRÉFACE
DE RUDYARD KIPLING

Tout ouvrage de ce type fait abondamment appel à la générosité des spécialistes et l'auteur se montrerait à tous égards indigne de la générosité dont il a bénéficié s'il n'avouait toute l'étendue de sa dette.

Ses remerciements s'adressent en priorité au très érudit et raffiné Bahadur Shah, inscrit au Registre indien des éléphants de transport sous le numéro 174, qui, de concert avec sa charmante sœur Pudmini, nous a aimablement fourni le sujet de « Toomai des Éléphants » et une part considérable du matériau inclus dans « Serviteurs de la Reine ». Les aventures de Mowgli ont été recueillies, à diverses époques et en divers endroits, auprès d'une pléiade d'informateurs, dont la plupart souhaitent garder l'anonymat le plus complet. Toutefois, compte tenu de l'éloignement, l'auteur s'estime autorisé à remercier un gentleman hindou de vieille souche, noble résident des hauteurs du Jakko, pour sa description convaincante, bien que légèrement caustique, des traits nationaux caractéristiques de sa caste, les Presbytes. Trois personnages : Sahi – savant d'une patience à l'ouvrage et d'un zèle infinis –, un membre de la Meute de Seeonee récemment dissoute, ainsi qu'un artiste célèbre dans la plupart des fêtes villageoises et de l'Inde du Sud, où sa danse muselée en compagnie de son maître attire tout ce que maint village compte de beau, de jeune, de cultivé, ont apporté une somme d'informations extrêmement précieuses, tant sur les habitants que sur leurs us et coutumes. Les récits « Au tigre ! au tigre ! », « Quand Kaa chasse » et « Les Frères de Mowgli » s'en inspirent largement. S'agissant du canevas de « Rikki-tikki-tavi », l'auteur a une dette envers l'un des plus éminents erpétologistes de l'Inde septentrionale, chercheur aussi intrépide qu'indépendant, qui, ayant résolu « non point de vivre mais de savoir », a récemment fait le sacrifice de sa vie en étudiant avec un soin trop assidu nos Thanatophidia d'Asie. Un heureux concours de circonstances permit à l'auteur, alors qu'il voyageait à bord de l'*Impératrice des Indes*, d'être de quelque secours pour un compagnon de traversée. Ceux qui liront « Le phoque blanc » jugeront par eux-mêmes à quel point ses menus services ont été richement payés de retour.

1

Les Frères de Mowgli

Avec Chil le Milan vient la nuit,
Qu'affranchit Mang, la Chauve-Souris.
Les troupeaux dans l'étable à l'abri,
Nous rôdons en silence à minuit.

Oui! Place à l'orgueil, à la puissance!
Ho! croc, serre, griffe, vous vous servez!
A vous tous, ô chasseurs, bonne chance,
Qui la Loi de la Jungle observez!

A sept heures, par une soirée très chaude, dans les monts de Seeonee, Père Loup, qui s'était reposé toute la journée, se réveilla, se gratta, bâilla et détendit ses pattes l'une après l'autre pour chasser la torpeur dont leurs extrémités étaient encore engourdies. Mère Louve était couchée, son gros museau gris enfoui parmi ses quatre louveteaux turbulents et couineurs. Le clair de lune se glissait par l'entrée de la grotte où ils vivaient tous ensemble.

« Waorrh! lâcha Père Loup. Il est l'heure de repartir à la chasse. »

Il s'apprêtait à s'élancer de sa butte, lorsqu'une petite ombre à queue touffue franchit le seuil de la grotte et geignit :

« Bonne chance à toi, grand Chef des Loups! Bonne chance à tes nobles enfants! Qu'ils aient de solides crocs blancs et n'oublient jamais ceux qui en ce monde ont faim. »

C'était le chacal, Tabaqui, le Pique-Assiette. Or, les loups, en Inde, méprisent Tabaqui, une mauvaise langue qui passe sa vie à semer la zizanie et à fourrager dans les tas d'ordures des villages à la recherche de guenilles et de bouts de cuir. Mais ils le craignent aussi, car, plus que quiconque, Tabaqui est sujet à des crises de rage; il oublie alors qu'il ait jamais eu peur et sillonne la forêt en mordant tout ce qu'il trouve sur son chemin. On voit le tigre lui-même courir se cacher quand la rage s'empare du petit Tabaqui ; chez les bêtes sauvages, il n'est pire horreur en effet que la rage. Nous parlons d'hydrophobie, mais elles l'appellent *dewanee* (la folie) et s'enfuient.

« Si tu veux jeter un œil, entre ! dit Père Loup d'un ton sec ; mais il n'y a rien à manger ici.

— Peut-être pas pour un loup, dit Tabaqui ; mais pour le modeste individu que je suis, l'os le plus décharné est encore un festin. Ce n'est pas à nous autres, les *Gidur-log* (les chacals) de faire les difficiles ! »

Et il fila jusqu'au fond de la grotte, où il dénicha un os de cerf sur lequel il restait encore un peu de viande. Il s'assit là, tout à la joie d'en croquer l'extrémité.

« Merci mille fois de cet excellent repas, dit-il en se pourléchant. Qu'ils sont beaux, ces nobles enfants ! Comme ils ont de grands yeux ! Quand on pense qu'ils sont encore si jeunes ! Mais, que je suis bête ! J'aurais dû me rappeler que les enfants de roi sont d'emblée de vrais hommes. »

Tabaqui savait évidemment, comme tout le monde, qu'il n'est rien qui porte davantage malheur que de complimenter les enfants devant eux; l'embarras qu'il lisait chez Mère et Père Loup le comblait de joie.

Campé sur son séant, Tabaqui demeura un moment silencieux à savourer son mauvais tour, avant de lancer perfidement :

« Shere Khan[1], le Puissant, a changé de terrain de chasse. A ce qu'il m'a dit, c'est par ici, sur ces monts, qu'il va chasser jusqu'à la prochaine lune. »

Shere Khan était le tigre qui vivait sur les bords de la Waingunga, à une trentaine de kilomètres de là.

« Et de quel droit? répliqua Père Loup avec colère; la Loi de la Jungle lui interdit de changer de territoire sans préavis. Il va effrayer tout le gibier à quatre lieues à la ronde. Or, moi, il faut que je tue pour deux, en ce moment.

— Ce n'est pas pour rien que sa mère l'a surnommé Lungri (le Boiteux), dit Mère Louve posément. Il est né avec une patte folle, ce qui explique qu'il n'a jamais tué que des vaches. Maintenant les villageois de la

---

1. *Shere* désigne le tigre dans plusieurs dialectes de l'Inde.

Waingunga sont furieux contre lui, et il vient ici pour que les nôtres le deviennent à leur tour. Ils vont écumer la Jungle à sa recherche ; lui, il sera déjà reparti, mais nous et nos enfants, nous n'aurons plus qu'à fuir quand ils mettront le feu aux herbes. Ah ! on peut le remercier, Shere Khan !

— Dois-je lui transmettre vos remerciements ? dit Tabaqui.

— Dehors ! clama Père Loup. Retourne chasser avec ton maître ! Tu as déjà fait assez de dégâts pour ce soir.

— Je m'en vais, dit tranquillement Tabaqui. On entend Shere Khan d'ici : il est en bas, dans les fourrés. J'aurais pu m'épargner la peine de vous apporter le message. »

Père Loup tendit l'oreille : en contrebas, dans la vallée dont les pentes menaient à une petite rivière, il entendit le geignement sec, hargneux, rageur et lancinant d'un tigre bredouille, qui se moque que toute la Jungle soit au courant.

« Quel imbécile ! dit Père Loup. Entamer une nuit de chasse par un vacarme pareil ! Il s'imagine peut-être que nos cerfs ressemblent à ses gros bœufs de la Waingunga ?

— Chut! Ce soir, ce ne sont ni des bœufs ni des cerfs qu'il chasse, dit Mère Louve. C'est l'homme. »

La plainte s'était transformée en une sorte de ronronnement, de bourdonnement, qui semblait provenir des quatre points cardinaux à la fois. C'était le bruit qui désoriente bûcherons et vagabonds dormant à la belle étoile et qui les fait, parfois, se jeter dans la gueule du tigre.

« L'homme! s'exclama Père Loup en découvrant tous ses crocs étincelants. Pouah! Il n'y a donc pas assez d'insectes et de grenouilles dans les citernes, qu'il doive aussi manger l'homme et, qui plus est, sur notre propre territoire! »

La Loi de la Jungle, qui ne prescrit jamais rien sans raison, interdit à toute bête de manger l'homme, sauf s'il s'agit pour elle de montrer à ses petits comment tuer, auquel cas elle est tenue de chasser hors des terrains de chasse de sa meute ou de sa tribu. La véritable raison en est que tout meurtre d'homme signifie qu'on voit arriver, tôt ou tard, des hommes blancs juchés sur des éléphants et armés de fusils et des centaines d'hommes bruns munis de gongs, de fusées et de torches. Tout le monde, alors, en pâtit dans la Jungle. Mais les animaux, entre eux, expliquent qu'il est déloyal de s'attaquer à l'homme, le plus faible et le plus vulnérable de tous les êtres vivants. Ils ajoutent (à juste titre) qu'à manger l'homme on attrape la gale, on perd ses dents.

Le ronronnement s'amplifia, pour s'achever sur le « Aaarh! », lancé à pleine gorge, du tigre qui charge.

Puis il y eut un hurlement (fort peu tigresque), poussé par Shere Khan.

« Il a raté son coup, dit Mère Louve. Je me demande ce que c'est. »

Père Loup courut un peu plus loin; il entendit Shere Khan marmonner sauvagement, grommeler entre ses dents, tout en s'agitant dans les broussailles.

« Cet imbécile n'a rien trouvé de mieux que de sauter sur un feu de camp de bûcherons! Résultat : il s'est brûlé les pieds, grogna Père Loup. Tabaqui est avec lui.

— On grimpe par ici, dit Mère Louve, l'oreille secouée d'un frisson. Tiens-toi prêt. »

Les feuillages bruissaient légèrement dans le fourré. Père Loup se ramassa sur lui-même, prêt à bondir. Et alors, si vous aviez assisté à la scène, vous auriez vu la chose la plus étonnante du monde : le loup stoppé net, en plein bond. Lancé avant même d'avoir vu sa cible, il essaya brusquement de s'arrêter, en sorte qu'il jaillit à la verticale jusqu'à près de deux mètres du sol, presque sur place.

« L'homme ! lâcha-t-il. Un petit d'homme. Regarde ! »

Juste devant lui, un bébé brun, tout nu, sachant à peine marcher, s'accrochait à une branche basse : la petite chose à fossettes la plus douce qui se soit jamais aventurée la nuit jusqu'à la grotte d'un loup. Il regarda Père Loup droit dans les yeux et se mit à rire.

« Ça ressemble à ça, un petit d'homme ? demanda Mère Louve. Je n'en ai jamais vu. Apporte-le ici. »

Habitué à transporter ses louveteaux, un loup peut très bien, s'il le faut, prendre un œuf dans sa gueule sans le casser ; les mâchoires de Père Loup s'étaient refermées directement sur le dos de l'enfant ; mais quand le loup le déposa au milieu de ses louveteaux, la peau du bébé ne présentait pas la moindre égratignure.

« Comme il est petit! Comme il est nu et… hardi! » s'exclama Mère Louve, attendrie.

Le bébé poussait, bousculait les louveteaux, pour se rapprocher du chaud pelage.

« Ah! ça! Il veut téter, lui aussi! Alors, c'est ça, un petit d'homme? Quelle louve a jamais pu se vanter de compter un petit d'homme au nombre de ses enfants?

— A ce que j'ai entendu dire plusieurs fois, la chose est arrivée, mais jamais dans notre Meute, ni de mon vivant. Il n'a pas un poil; il me suffirait de l'effleurer d'une patte pour le tuer. Mais tu as vu : il nous regarde, il n'a pas peur. »

Quelque chose vint masquer le clair de lune à l'entrée de la grotte : l'énorme tête de Shere Khan sur ses épaules carrées tentait d'en forcer l'entrée. Tabaqui, par-derrière, couinait :

« Seigneur! Monseigneur! il est entré par ici!

— Shere Khan nous fait beaucoup d'honneur, dit Père Loup, l'œil torve. Et que désire Shere Khan?

— Ma proie. Un petit d'homme est entré ici, dit Shere Khan. Ses parents se sont enfuis. Donne-le-moi. »

Père Loup avait raison : Shere Khan s'était précipité sur un brasier de bûcherons et ses brûlures aux pieds le rendaient fou de rage. Mais Père Loup savait l'ouverture de la grotte trop exiguë pour un tigre. Déjà, Shere Khan avait les épaules et les pattes antérieures comprimées, comme un homme qui essaierait de se battre dans un tonneau.

« Les Loups sont un peuple libre, dit Père Loup. Ils reçoivent leurs ordres de leur seul Chef de Meute et non point de je ne sais quel tueur de vaches à rayures. Le petit d'homme est à nous… et si nous avons envie de le tuer, nous le tuerons.

— Hé ! écoutez-moi ça ! "Si nous avons envie…" Par le taureau que j'ai tué, tu crois que je vais rester le nez coincé dans ta sale niche à chien à réclamer mon dû ? C'est moi, Shere Khan, qui parle ! »

Le rugissement du tigre emplit la grotte de son tonnerre. D'une secousse, Mère Louve se dégagea des petits et fit un bond en avant ; ses yeux, comme deux lunes vertes dans les ténèbres, vinrent défier les yeux flamboyants de Shere Khan.

« Et c'est moi, Raksha (le Démon) qui réponds! Le petit d'homme est à moi, Lungri! Je dis bien : à moi! Personne ne le tuera. Il grandira avec la Meute; il chassera avec la Meute et, écoute-moi bien, chasseur de bébés nus... avaleur de grenouilles... massacreur de poissons... : pour finir, c'est lui qui te chassera! Et maintenant, déguerpis! ou, par le Sambar que j'ai tué (je ne mange pas de vache décharnée, moi!), tu retourneras chez ta mère, bête brûlée de la Jungle, encore plus boiteux que tu es né! Hors d'ici! »

Père Loup écarquillait les yeux. Avait-il donc oublié l'époque où il avait conquis Mère Louve de haute lutte, en triomphant, à la loyale, de cinq loups rivaux, quand elle faisait partie de la Meute, elle qui ne devait pas son surnom de Démon uniquement à ses beaux yeux? Shere Khan aurait pu braver Père Loup, mais contre Mère Louve, c'était perdu d'avance : il savait qu'elle avait l'avantage absolu du terrain et qu'elle lutterait à mort. Il battit donc en retraite, non sans grogner, et une fois dehors, il cria :

« Chien chez soi se croit le roi. On verra si la Meute approuve l'adoption de petits d'homme. Le petit m'appartient et c'est sous ma dent qu'il finira, sales voleurs à queue touffue ! »

Mère Louve se laissa retomber, pantelante, au milieu des petits. Père Loup lui dit d'un ton grave :

« Là-dessus, Shere Khan a raison. Il faut présenter le petit à la Meute. Tu es toujours d'accord pour le garder, la Mère ?

— Le garder ! » Mère Louve faillit s'étouffer. « Il est arrivé nu, en pleine nuit, seul, affamé ; et il n'avait même pas peur. Regarde ! il a déjà écarté l'un de mes bébés ! Et ce boucher boiteux voulait le tuer avant de retourner en vitesse sur les bords de la Waingunga, pendant que les villageois des environs, pour se venger, nous auraient pourchassés sans merci jusqu'au fond de toutes nos tanières. Si je le garde ? Bien sûr que je veux le garder ! Pour l'instant, ne bouge pas, petite grenouille. Mon petit Mowgli[1]... car je t'appellerai Mowgli la Grenouille... le jour viendra où

---

1. Un nom de mon invention. Il ne signifie « grenouille » dans aucune langue que je connaisse.

tu pourchasseras Shere Khan comme il t'a pourchassé.

— Mais que va dire la Meute? » demanda Père Loup.

La Loi de la Jungle autorise explicitement un loup qui se marie à quitter la Meute dont il est membre; mais, dès que ses louveteaux sont en âge de se tenir sur leurs pattes, il est tenu de les présenter au Conseil de la Meute, qui se réunit en général une fois par mois, à la pleine lune, pour permettre aux autres loups de les identifier. Au terme de cette inspection, les louveteaux sont libres de leurs mouvements; s'ils se font tuer par un adulte de leur Meute avant d'avoir eux-mêmes tué leur premier cerf, aucune excuse n'est admise : une fois retrouvé, le meurtrier est mis à mort séance tenante. Il suffit de réfléchir une minute pour comprendre qu'il doit en être ainsi.

Père Loup attendit que ses louveteaux soient en mesure de courir un peu. Puis, la nuit de l'assemblée, il les emmena en compagnie de Mowgli et de Mère Louve au Rocher du Conseil : un sommet de colline couvert de pierraille et de rocs, où cent loups pouvaient se cacher. Akela[1], le grand Loup gris Solitaire qui s'était imposé à la Meute par sa force et sa ruse, couché de tout son long sur son rocher, dominait une quarantaine de loups de toutes les tailles et de toutes les couleurs : il y avait, assis là, des vétérans, au dos plus clair, comme des blaireaux, capables de venir seuls à bout d'un cerf, et des jeunes de trois ans, au poil noir, qui, eux, s'en croyaient capables. Le Loup Solitaire était leur chef depuis un an déjà. Plus jeune, il était tombé par deux fois dans un piège à loup, dont une où il s'était fait rouer de coups, au point d'avoir été laissé pour mort ; autant dire qu'il connaissait les hommes.

Au Rocher, on parlait peu. Les louveteaux se culbutaient à cœur joie devant les parents groupés en cercle ; par moments, sans rien dire, un loup plus âgé s'approchait d'un petit, l'examinait attentivement et regagnait sa place, à pas feutrés ; ou bien telle mère poussait son louveteau bien en évidence dans la clarté lunaire pour s'assurer que tout le monde le vît. Du haut de son rocher, Akela criait :

---

1. Akela signifie « solitaire ».

« Vous connaissez la Loi! Vous connaissez la Loi! Ouvrez les yeux, les Loups! »

Et les mères inquiètes reprenaient en écho :

« Ouvrez les yeux, ouvrez les yeux, les Loups! »

Enfin – et Mère Louve sentit alors son cou se hérisser –, Père Loup poussa « Mowgli la Grenouille », comme ils l'appelaient, au centre du cercle, où il vint s'asseoir et jouer, en riant, avec de petits cailloux qui brillaient sous les rayons de la lune.

Akela, sans soulever la tête de sur ses pattes, lançait toujours son appel monotone :

« Ouvrez les yeux! »

De derrière les rochers, s'éleva alors un rugissement voilé.

C'était Shere Khan, qui s'écria :

« Le petit est à moi. Donnez-le-moi. Qu'a à faire le Peuple Libre d'un petit d'homme? »

Akela ne remua même pas un bout d'oreille; il dit simplement :

« Ouvrez les yeux, les Loups! Qu'a à faire le Peuple Libre d'ordres extérieurs? Ouvrez les yeux! »

Un chœur de sourds grognements retentit

et un jeune loup de moins de quatre ans renvoya à Akela la question de Shere Khan :

« Qu'a à faire le Peuple Libre d'un petit d'homme ? »

Or, la Loi de la Jungle stipule qu'en cas de litige quant à l'admission d'un jeune au sein de la Meute, il faut qu'au moins deux membres de ladite Meute, à l'exclusion de son père et de sa mère, se prononcent en sa faveur.

« Qui prend la défense de ce petit ? demanda Akela. Qui, du Peuple Libre, se prononce en sa faveur ? »

Aucun loup ne répondit. Et Mère Louve se prépara à mener ce qu'elle savait devoir être son dernier combat, s'il fallait en arriver là.

C'est alors que le seul étranger à la Meute admis à son Conseil, Baloo[1], l'indolent ours brun qui enseigne la Loi de la Jungle aux petits loups, le vieux Baloo, qui a le droit de circuler à sa guise parce qu'il se nourrit exclusivement de noix, de racines et de miel, se dressa sur son séant en grognant :

« Le petit d'homme ? le petit d'homme ?

_____
1. Désigne l'ours, en hindi.

dit-il. Je prends sa défense, moi. C'est inof-fensif, un petit d'homme. Je ne suis pas ora-teur, mais je dis la vérité. Qu'il soit admis dans la Meute en même temps que les autres. Je serai moi-même son maître.

— Il faut quelqu'un d'autre, dit Akela. Baloo, l'instructeur de nos louveteaux, s'est exprimé. Qui se joint à Baloo? »

Une ombre noire s'abattit au milieu du cercle. C'était Bagheera[1], la Panthère Noire, dont le pelage, tout entier d'un noir d'encre, se moirait, en fonction de la lumière, des taches caractéristiques de la panthère, comme un jeu de reflets sur de la soie mouillée. Tout le monde connaissait Bagheera; et personne ne se hasardait à la contrer; car Bagheera était rusée comme Tabaqui, intré-pide comme le buffle sauvage et téméraire comme l'éléphant blessé. Mais sa voix était douce comme le miel sauvage qui goutte d'un arbre, et sa peau, plus douce que le duvet.

« Akela, et vous tous, Peuple Libre, ron-ronna la Panthère, je n'ai aucun droit dans

---

1. Désigne la panthère ou le léopard, en hindi. Diminutif de *bagh*, « tigre ».

votre assemblée; mais la Loi de la Jungle dit que, dans le cas d'un jeune, s'il s'attache un doute qui ne concerne pas un meurtre, il est possible de racheter le jeune en cause. Or, la Loi ne précise pas qui a ou n'a pas le droit d'en payer le prix. Est-ce que je me trompe?

— D'accord, d'accord! dirent les jeunes loups, toujours affamés. Écoutons Bagheera. Le petit peut être racheté. C'est la Loi.

— Sachant que je n'ai aucun droit à la parole ici, je vous demande votre permission.

— Parle! s'écrièrent vingt voix.

— Tuer un petit tout nu, c'est une honte! Attendez donc qu'il ait grandi : la chasse sera plus excitante pour vous. Baloo s'est exprimé en sa faveur. Maintenant, à l'avis de Baloo, j'ajouterai un taureau, et un gros, que je viens de tuer, à moins d'un kilomètre d'ici, si vous êtes prêts à accepter ce petit d'homme conformément à la Loi. Ça pose un problème? »

Des dizaines de voix s'élevèrent en même temps :

« Peu importe! De toute façon, il ne résistera pas aux pluies d'hiver. Le soleil le brûlera. Nous, craindre une grenouille nue? Qu'il entre dans la Meute ! Où est le taureau, Bagheera ? Acceptons le petit ! »

Le sourd aboiement d'Akela vint mettre fin au vacarme :

« Ouvrez les yeux, ouvrez les yeux, les Loups ! »

Mowgli était tellement absorbé par ses petits cailloux qu'il ne remarqua même pas les loups venus, chacun son tour, l'observer. Tous descendirent ensuite chercher le taureau mort. Seuls demeurèrent Akela, Bagheera, Baloo et les loups de Mowgli. Shere Khan continuait à rugir dans la nuit, outré qu'on ne lui eût pas livré Mowgli.

« Vas-y ! rugis tout ton soûl ! dit Bagheera dans ses moustaches ; car le jour viendra où cette petite chose nue te fera rugir sur un tout autre ton, ou je ne connais pas les hommes.

— A la bonne heure ! dit Akela. Les hommes et leurs petits sont très intelligents ; peut-être qu'un jour nous serons contents de l'avoir.

— Contents de l'avoir assurément, le jour venu, car personne ne peut espérer mener la Meute pour toujours », dit Bagheera.

Akela se tut. Il pensait à l'heure qui vient pour tout chef de meute, où ses forces le quittent et où, chaque jour plus faible, il est tué à la fin par les loups et remplacé par un nouveau chef, promis lui-même au même sort.

« Emmène-le, dit-il à Père Loup, et dresse-le comme il sied pour un fils du Peuple Libre. »

Et c'est ainsi que Mowgli fut admis dans la meute des loups de Seeonee, pour le prix d'un taureau et sur la recommandation de Baloo.

Mais vous accepterez maintenant de sauter une dizaine d'années : tâchez seulement d'imaginer quelle fut la vie merveilleuse de Mowgli parmi les loups ; car son récit complet remplirait un nombre incalculable de volumes. Il grandit en compagnie des louveteaux ; mais, bien entendu, il n'avait pas encore quitté lui-même la petite enfance qu'ils étaient déjà presque de vrais loups. Père Loup l'initia ; il lui apprit le sens de toutes choses dans la Jungle : bientôt, dès que Mowgli entendait frissonner l'herbe, passer un souffle dans la nuit tiède, ululer un hibou au-dessus de sa tête, crisser les griffes d'une chauve-souris juchée pour quelques instants dans un arbre ou rejaillir l'eau d'une mare autour du plus petit poisson, tous ces bruits lui parlaient autant qu'à un homme d'affaires ses dossiers. Quand il n'était pas en train d'apprendre, il s'installait au soleil; il dormait, mangeait, se rendormait; quand il se sentait sale ou qu'il avait chaud, il nageait dans les étangs de la forêt; et quand il avait envie de miel (Baloo lui avait dit qu'il était tout aussi agréable de manger du miel et des fruits secs que de la viande crue), il grimpait aux arbres en chercher : cette fois, ce fut Bagheera elle-même qui lui montra comment s'y prendre. La panthère se couchait sur une branche et l'appelait : « Viens, Petit Frère! » Au début, Mowgli se cramponnait, à la façon du paresseux; mais, avec le temps, il en vint à voler de branche en branche avec presque autant de hardiesse que le singe gris. Il prenait également sa place au Rocher du Conseil, quand la Meute s'y réunissait; et là, pour peu qu'il soutînt un certain temps le regard d'un loup, découvrit-il un jour, le loup finissait toujours par baisser les yeux le premier. Dès lors, il en fit un jeu. Il lui arrivait aussi de retirer les longues épines plantées dans les coussinets de ses amis, car les loups souffrent cruellement des épines et des piquants qui s'enfoncent dans leur pelage. La nuit, il descendait jusqu'aux cultures et regardait avec de grands yeux les villageois dans leurs huttes; mais il se méfiait des hommes depuis que Bagheera lui avait montré une cage carrée, munie d'une porte à guillotine, si habilement dissimulée dans la Jungle que la panthère avait failli y pénétrer. Bagheera lui avait alors expliqué qu'il s'agissait d'un piège. Mais, par-dessus tout, il adorait s'enfoncer en compagnie de Bagheera jusqu'au cœur noir et chaud de la forêt, y dormir dans la torpeur du jour et voir, la nuit venue, la panthère chasser. Elle tuait tous azimuts, selon sa faim, et Mowgli l'imitait – à une exception près. Dès que le garçon fut en âge de comprendre, Bagheera lui interdit de toucher au bétail, parce qu'il avait été admis au sein de la Meute en échange d'un taureau.

« Toute la Jungle t'appartient, dit Bagheera, et tu peux y tuer tout ce que tu as la force de tuer; mais, en mémoire du taureau qui a servi à ton rachat, jamais tu ne tueras, ni ne mangeras de bétail, jeune ou vieux. Telle est la Loi de la Jungle. »

Mowgli l'observa scrupuleusement.

Il grandit et acquit la force d'un garçon qui n'a pas conscience d'apprendre des leçons et dont l'unique souci au monde est de se nourrir.

Mère Louve l'avisa une ou deux fois qu'il ne fallait jamais faire confiance à Shere Khan et qu'un jour il serait obligé de tuer Shere Khan. Un jeune loup n'aurait eu garde d'oublier une seule seconde pareil avertissement ; Mowgli, lui, l'oublia, car il n'était qu'un petit garçon. (Pourtant, eût-il su s'exprimer dans quelque langue humaine, il se serait qualifié lui-même de loup.)

Mowgli rencontrait constamment Shere Khan sur son chemin, car, à mesure qu'Akela vieillissait et perdait de ses forces, le tigre boiteux s'était lié d'amitié avec les jeunes loups de la Meute ; ils le suivaient pour finir ses restes, chose qu'Akela, eût-il osé faire pleinement usage de son autorité, n'aurait jamais tolérée. Shere Khan en profitait pour les flatter et s'étonner de voir d'aussi jeunes et vaillants chasseurs accepter la tutelle d'un loup moribond et d'un petit d'homme.

« J'ai ouï dire, disait Shere Khan, qu'au Conseil vous n'osez pas le regarder en face. »

Aussitôt, les jeunes loups grondaient ; leur poil se hérissait.

Bagheera, qui avait des yeux et des oreilles partout, eut vent de quelque chose et, à une ou deux reprises, avertit crûment Mowgli qu'un jour Shere Khan le tuerait. Mowgli riait et répondait :

« J'ai avec moi la Meute et toi ; et il se pourrait que Baloo, tout paresseux qu'il est, distribue un ou deux coups de patte pour me défendre. Pourquoi veux-tu que j'aie peur ? »

Un jour de canicule, Bagheera se rappela un propos qu'elle avait entendu et eut soudain une idée. Peut-être était-ce Sahi, le Porc-Épic, qui l'avait avertie ; en tout cas, dès que Mowgli et Bagheera furent au plus profond de la Jungle, la panthère dit à l'enfant, dont la tête reposait sur sa magnifique robe noire :

« Combien de fois t'ai-je dit que Shere Khan est ton ennemi ?

— Autant de fois que ce palmier compte

de noix, répondit Mowgli, qui, naturellement, ne savait pas compter. Et après? J'ai envie de dormir, Bagheera, et Shere Khan n'est que longue queue et grande gueule, comme Mor le Paon.

— Mais ce n'est pas le moment de dormir. Nous le savons tous : Baloo, moi, la Meute et même ces écervelés de daims. Tabaqui t'a prévenu, lui aussi.

— Tu parles! s'esclaffa Mowgli. Tabaqui est venu me voir récemment pour m'insulter, me dire que je n'étais qu'un petit d'homme nu, même pas capable de déterrer des cacahuètes; mais j'ai attrapé Tabaqui par la queue et je l'ai envoyé valser par deux fois contre un palmier pour lui apprendre la politesse.

— Ce n'était pas très malin; car Tabaqui a beau être mauvaise langue, il aurait pu te révéler quelque chose qui te concerne directement. Tu as des yeux : ouvre-les, Petit Frère! Shere Khan n'ose pas te tuer dans la Jungle; mais souviens-toi, Akela est très vieux et le jour viendra vite où il ne sera plus capable de tuer son cerf et où il cessera donc d'être le chef. Bon nombre des loups qui t'ont examiné la première fois qu'on t'a présenté au

Conseil ont vieilli, eux aussi, et les jeunes loups croient (Shere Khan leur a fait la leçon) qu'un petit d'homme n'a pas sa place au sein de la Meute. Tu seras un homme, bientôt.

— Et un homme ne chasserait pas avec ses frères? demanda Mowgli. Je suis né dans la Jungle. J'ai toujours obéi à la Loi de la Jungle et il n'est pas un seul de nos loups dont je n'ai retiré au moins une épine des pattes. Ce sont mes frères, non? »

Bagheera s'étira de tout son long et ferma à demi les yeux :

« Petit Frère, dit-elle, passe ta main sous ma gorge. »

Juste sous le menton soyeux de Bagheera, là où les muscles géants roulaient sous la fourrure ondée, la robuste main brune de Mowgli sentit un petit endroit pelé.

« Personne ne sait dans la Jungle que Bagheera a cette marque : la marque du collier; et pourtant, Petit Frère, je suis née parmi les hommes et c'est chez les hommes qu'est morte ma mère, dans les cages du Palais du Roi à Oodeypore. Voilà pourquoi je t'ai racheté au Conseil, quand tu n'étais qu'un petit bonhomme nu. Oui, moi aussi, je suis née parmi les hommes. Je n'avais jamais vu la Jungle. On me donnait à manger à travers les barreaux, dans une poêle en fer, jusqu'au soir où j'ai senti que j'étais Bagheera, la Panthère, et non pas le jouet des hommes. Alors, d'un seul coup de patte, j'ai brisé leur stupide cadenas et me suis échappée. Et comme j'avais appris à bien connaître les hommes, je suis devenue plus terrible dans la Jungle que Shere Khan. Est-ce que je mens?

— Non, tu dis vrai, répondit Mowgli ; la Jungle entière a peur de Bagheera... sauf Mowgli.

— Oh ! toi, tu es un petit d'homme, dit la Panthère Noire, avec beaucoup de tendresse ; et tout comme je suis retournée dans ma Jungle, de même il te faudra retourner en fin de compte chez les hommes, tes frères... si tu ne te fais pas massacrer au Conseil.

— Mais pourquoi, pourquoi donc aurait-on envie de me tuer? dit Mowgli.

— Regarde-moi », dit Bagheera.

Mowgli la regarda droit dans les yeux. Au bout de trente secondes, la grande panthère avait déjà détourné son regard.

« La raison, elle est là, avoua Bagheera, en remuant sa patte sur les feuilles : moi-même, qui suis pourtant née parmi les hommes et qui t'aime, je n'arrive pas à soutenir ton regard, Petit Frère. Quant aux autres, ils te haïssent : parce que tu leur fais baisser les yeux, parce que tu es intelligent ; parce que tu leur as retiré des épines des pieds… parce que tu es un homme.

— J'ignorais tout ça », dit Mowgli, la mine déconfite.

Ses épais sourcils noirs se froncèrent.

« Que dit la Loi de la Jungle ? Frappe d'abord, aboie plus tard. A ton insouciance même, ils savent que tu es un homme. Mais prends garde. Mon cœur me dit qu'à compter du jour où Akela ratera son coup (et désormais, plus il chasse, plus il a de mal à clouer son cerf), la Meute se retournera contre lui, et contre toi. Ils se réuniront en Conseil de Jungle au Rocher, et alors… et alors… J'ai une idée ! dit Bagheera, en se levant, d'un coup de reins, sur ses pattes. Descends vite jusqu'aux huttes des hommes, dans la vallée, cueillir un peu de cette Fleur Rouge qu'ils y font pousser, afin d'avoir à ta disposition, le moment venu, un ami plus puissant encore que moi, ou Baloo, ou ceux de la Meute qui t'aiment. Va chercher la Fleur Rouge ! »

Par Fleur Rouge, Bagheera entendait le feu. Seulement, nul, dans la Jungle, n'osera jamais désigner le feu par son vrai nom. Tous les animaux en ont une peur mortelle ; ils inventent mille façons d'en parler sans le nommer.

« La Fleur Rouge ? dit Mowgli. Ce qui pousse devant leurs huttes, dès que la nuit tombe. Oui, j'irai en chercher.

— Je reconnais là le petit d'homme, dit fièrement Bagheera. Rappelle-toi qu'elle pousse dans de petits pots. Dépêche-toi d'en prendre un et garde-le près de toi pour le jour où tu en auras besoin.

— Entendu ! dit Mowgli. J'y vais. Mais es-tu absolument certaine, ma Bagheera (d'un bras, il enlaça la splendide encolure et plongea son regard jusqu'au fond des grands yeux), es-tu absolument certaine que c'est Shere Khan qui se trouve derrière tout ça ?

— Par le Cadenas Brisé qui m'a libérée, j'en suis sûre et certaine, Petit Frère.

— En ce cas, par le Taureau qui a servi à mon rachat, je lui rendrai la monnaie de sa pièce, et peut-être au-delà ! » dit Mowgli.

Et il partit à grands bonds.

« Voilà bien l'homme ! l'homme tout craché ! se dit Bagheera en se recouchant. Oh ! Shere Khan, jamais il n'y eut chasse plus sordide que ta chasse à la grenouille, voilà dix ans. »

Mowgli était déjà loin dans la forêt. Il courait à toutes jambes ; son cœur cognait dans sa poitrine. Il arriva à la grotte aux loups au moment où montait la brume du crépuscule ; il reprit son souffle, les yeux fixés sur la vallée. Les louveteaux étaient sortis, mais Mère Louve, du fond de la grotte, avait deviné, au halètement de Mowgli, qu'un souci tracassait sa grenouille.

« Qu'y a-t-il, mon Fils ? dit-elle.

— Oh ! c'est Shere Khan et ses jacasseries de pipistrelle ! lui cria Mowgli en réponse. Ce soir, je chasse du côté des cultures ! »

Et il plongea dans les broussailles, jusqu'au cours d'eau au fond de la vallée. Là, il s'arrêta : mêlé aux cris de la Meute en chasse, il entendit le brame d'un sambar traqué, puis le renâclement du cerf aux abois. Alors s'élevèrent des hurlements hargneux – c'était les jeunes loups :

« Akela ! Akela ! Que le Loup Solitaire montre sa force ! Place au chef de la Meute ! Vas-y ! bondis, Akela ! »

Le Loup Solitaire avait dû bondir et manquer sa cible, car Mowgli entendit ses mâchoires claquer et le loup glapir, quand le sambar le renversa d'un coup de sabot antérieur.

Mowgli ne s'attarda pas davantage ; il reprit sa course et l'écho des clameurs s'estompa derrière lui, tandis qu'il atteignait les champs des villageois.

« Bagheera disait vrai », se dit-il, hors d'haleine, en se blottissant dans un tas de foin près de la fenêtre d'une hutte. « Demain, Akela et moi, on va passer une drôle de journée ! »

Puis il colla son visage au carreau et contempla le feu dans l'âtre. Il vit la femme du paysan se lever pour y déposer de petits blocs noirs. Puis, au matin, dans la brume froide et blanche, Mowgli vit l'enfant de l'homme prendre un pot en osier enduit à l'intérieur d'une couche d'argile, l'emplir de charbons ardents, le glisser sous sa couverture et sortir s'occuper des vaches à l'étable.

« C'est tout? se dit Mowgli. Si un petit peut le faire, il n'y a rien à craindre. » En quelques grandes enjambées, il tourna le coin de la maison, se retrouva nez à nez avec le petit garçon, lui ravit le pot des mains et disparut dans le brouillard, sous les hurlements de terreur du garçon.

« Ils me ressemblent beaucoup, dit Mowgli en soufflant dans le pot, comme il avait vu la femme le faire. La chose va mourir si je ne lui donne rien à manger »; et il laissa tomber des brindilles et des bouts d'écorce sèche sur la substance rouge. A mi-pente, il rencontra Bagheera : la rosée brillait sur sa livrée comme des pierres de lune.

« Akela a manqué son coup, dit la Panthère. Ils étaient prêts à le tuer, hier soir, mais ils te voulaient toi aussi. Ils t'ont cherché sur la butte.

— J'étais dans les cultures. Je suis prêt : regarde! »

Mowgli leva le pot de feu.

« Parfait! J'ai déjà vu des hommes jeter là-dessus une branche sèche et la Fleur Rouge, aussitôt, s'épanouissait au bout. Tu n'as pas peur?

— Non. Pourquoi j'aurais peur? Je me rappelle maintenant (à moins que j'aie rêvé) qu'avant d'être Loup, je me couchais près de la Fleur Rouge; on était bien, au chaud. »

Mowgli resta toute la journée à l'intérieur de la grotte à veiller sur son pot de feu; il y plongeait du bois sec, pour en voir la transformation. Il trouva une branche à son goût et, le soir venu, quand Tabaqui vint à la grotte lui dire, sans beaucoup d'égards, qu'on le réclamait au Conseil de la Meute, il partit d'un tel rire que Tabaqui fit demi-tour en vitesse. Mowgli riait encore quand il arriva au Conseil.

Akela, le Loup Solitaire, était couché à côté de son rocher, indiquant par là que sa succession à la tête de la Meute était ouverte. Au milieu de sa cour de loups mangeurs de charogne, Shere Khan se pavanait sous les flatteries. Bagheera était couchée contre Mowgli, qui serrait le pot de feu entre ses genoux. Dès qu'ils furent tous rassemblés, Shere Khan prit la parole, chose qu'il n'aurait jamais osé faire au temps de la splendeur d'Akela.

« Il n'en a pas le droit, murmura Bagheera. Dis-le, toi! C'est un fils de chien : il aura peur. »

D'un bond, Mowgli se releva.

« Peuple Libre, est-ce Shere Khan le chef de la Meute? En quoi notre choix d'un chef concerne-t-il un tigre?

— Voyant la succession ouverte et invité à prendre la parole…, commença Shere Khan.

— Invité par qui? dit Mowgli. Ne sommes-nous donc tous que des chacals pour nous aplatir devant ce tueur de vaches? Il appartient à la Meute, et à elle seule, de se désigner un chef. »

Des cris fusèrent :

« Silence, le petit d'homme!

— Laissez-le parler! il n'a jamais failli à notre Loi. »

Et, pour finir, les anciens de la Meute tonnèrent :

« Donnez la parole au Loup Mort! »

Dès qu'un chef de Meute a manqué sa proie, il prend le nom de Loup Mort jusqu'à la fin de ses jours, généralement proche.

Péniblement, Akela souleva sa vieille tête :

« Peuple Libre, et vous aussi, chacals de

Shere Khan, voilà douze saisons que je vous conduis à vos chasses et vous en ramène : douze saisons, sans qu'aucun d'entre vous ait été pris au piège ou mutilé. Et voici que j'ai manqué ma proie. Or, vous savez parfaitement de quelle manœuvre c'est là le résultat. Vous savez comment vous m'avez poussé sur un jeune cerf fougueux pour qu'éclate ma faiblesse. Vous avez très bien joué. Vous avez le droit de me tuer ici, tout de suite, sur le Rocher du Conseil. Je pose donc la question suivante : qui vient achever le Solitaire ? Car la Loi de la Jungle m'autorise à vous affronter un par un. »

Il s'ensuivit un long silence : aucun loup n'avait envie de se battre à mort avec Akela. Puis Shere Khan rugit :

« Bah ! On n'a rien à faire de cette triste loque. De toute façon, il est condamné à mourir ! C'est le petit d'homme qui devrait être mort depuis longtemps ! Peuple Libre, depuis le début, c'est moi qui devais le croquer. Donnez-le-moi ! Cette histoire idiote d'homme-loup n'a que trop duré. Voilà dix saisons qu'il sème le désordre dans la Jungle. Donnez-moi le petit d'homme, sinon, je continuerai à chasser par ici, sans jamais plus vous donner un seul os. C'est un homme, un enfant d'homme et je le hais du tréfonds des moelles. »

Plus de la moitié de la Meute s'écria alors :

« Un homme ! un homme ! qu'avons-nous à faire d'un homme parmi nous ? Qu'il aille chez lui !

— Pour qu'on ait aux trousses tous les gens des villages ? brailla Shere Khan. Non ! livrez-le-moi ! C'est un homme et personne ici ne peut soutenir son regard. »

Akela souleva encore une fois la tête et dit :

« Il a partagé notre nourriture. Il a dormi parmi nous. Il nous a rabattu du gibier. Il a respecté à la lettre la Loi de la Jungle.

— Sans compter que j'ai donné un taureau pour prix de son rachat le jour où il a été admis dans la Meute. Un taureau, c'est peu de chose, mais pour l'honneur de Bagheera, Bagheera est peut-être prête à se battre, dit la Panthère de sa voix la plus suave.

— Un taureau donné il y a dix ans ! glapit la Meute. Qu'a-t-on à faire d'os qui remontent à dix ans ?

— Ou de votre parole? dit Bagheera, en retroussant les lèvres sur ses crocs étincelants. On a bien raison de vous appeler le Peuple Libre!

— Pas de petit d'homme parmi le Peuple de la Jungle! glapit Shere Khan. Donnez-le-moi!

— Il est notre frère en tout, sauf par le sang, reprit Akela, et vous voudriez le tuer ici! En vérité, j'ai vécu trop longtemps. Certains d'entre vous sont des mangeurs de bétail et, pour d'autres, j'ai entendu dire qu'instruits par Shere Khan vous allez, par les nuits sans lune, voler aux villageois leurs enfants jusque sur le pas de leur porte. Je sais par conséquent que vous êtes des lâches et c'est à des lâches que je m'adresse. Je dois mourir, je le sais, et ma vie ne vaut rien, sinon je l'offrirais en échange de celle du petit d'homme. Mais, pour l'honneur de la Meute – une vétille, que l'absence de chef vous aura fait oublier –, je m'engage, si vous laissez le petit d'homme retourner chez lui, à ne pas vous montrer un seul de mes crocs, quand sera venue ma dernière heure. Je mourrai sans combat. Voilà qui épargnera au moins trois vies à la Meute. Je ne puis rien de plus : mais si vous acceptez, je peux vous éviter la honte de tuer un frère nullement coupable, un frère dont l'admission dans la Meute a été défendue et payée conformément à la Loi de la Jungle.

— C'est un homme... un homme... un homme! » gronda la Meute.

Et la plupart des loups commencèrent à se rassembler autour de Shere Khan, dont la queue s'était mise à battre l'air.

« A toi de jouer maintenant, dit Bagheera à Mowgli. Nous autres, à part nous battre, nous ne pouvons plus rien. »

Mowgli se leva, le pot de feu dans les mains. Après quoi, il s'étira et bâilla au nez du Conseil, bien que secrètement fou de rage et de chagrin. Car, en vrais loups qu'ils étaient, les loups ne lui avaient jamais dit à quel point ils le haïssaient.

« Écoutez-moi! cria-t-il. Ces caquetages de chiens ne servent à rien. Ce soir, vous m'avez tellement rabâché que j'étais un homme (moi qui serais resté loup parmi vous jusqu'à la fin de mes jours), que je finis par vous croire. Par conséquent, je ne vous appelle plus frères, mais *sag* (chiens), comme il sied à l'homme de le faire. Ce que vous ferez ou non, ce n'est pas à vous de le dire. C'est moi qui en décide ; et pour nous permettre d'y voir tout à fait clair, moi, l'homme, j'ai apporté ici un peu de cette Fleur Rouge dont vous autres, chiens, avez peur. »

Il lança le pot de feu par terre, où plusieurs braises enflammèrent une touffe de mousse desséchée ; saisi d'effroi, le Conseil tout entier recula devant la gerbe de flammes.

Mowgli enfonça sa branche dans le feu jusqu'à que les brindilles flambent et crépitent ; puis il la fit voltiger au-dessus de sa tête, au milieu des loups recroquevillés.

« C'est toi le maître, dit Bagheera à mi-voix. Sauve Akela de la mort. Il a toujours été ton ami. »

Akela, le vieux loup farouche, qui, de sa vie, n'avait jamais demandé grâce, lança à Mowgli un regard implorant. Les longs cheveux noirs du garçon, debout, entièrement nu, dansaient sur ses épaules à la lueur de la branche enflammée qui faisait bondir et trembler les ombres.

« Excellent! dit Mowgli avec un long regard circulaire. A ce que je vois, vous n'êtes vraiment que des chiens. Je vous quitte pour retourner parmi mes semblables… si tant est qu'ils le soient. La Jungle m'est désormais terre interdite; il me faut oublier votre parler et votre compagnie; mais je me montrerai plus magnanime que vous. Puisque j'ai été votre frère en tout sauf par le sang, je promets, quand je serai un homme parmi les hommes, de ne jamais vous trahir au profit des hommes, comme vous m'avez trahi. »

Il donna un coup de pied dans le feu et les étincelles jaillirent.

« Nul d'entre nous ne fera la guerre à la Meute. Mais j'ai une dette à régler avant de partir. »

A grands pas, il s'approcha de Shere Khan, qui battait stupidement des paupières devant les flammes. Mowgli lui attrapa la barbiche. Bagheera suivait, pour parer à toute éventualité.

« Debout, chien! cria Mowgli. Debout, quand un homme parle! sinon, je mets le feu à ta robe! »

Shere Khan avait les oreilles rabattues par-derrière sur la tête ; il ferma les yeux, car la branche enflammée était vraiment très près.

« Ce tueur de vaches a dit qu'il me tuerait en plein Conseil parce qu'il ne m'avait pas tué quand j'étais petit. Tiens ! voilà ! c'est comme ça qu'on bat les chiens chez les hommes. Bouge un seul poil de ta moustache, Lungri, et je t'enfonce la Fleur Rouge jusqu'au fond du gosier ! »

De sa branche, il frappa Shere Khan sur la tête ; le tigre geignait, pleurnichait, mort de peur.

« Pouah ! espèce de chat sauvage roussi ! file, maintenant ! Mais, souviens-toi : la prochaine fois que je viendrai au Rocher du Conseil, ce sera coiffé de la peau de Shere Khan. Pour le reste, Akela est libre de vivre à sa guise. Vous ne le tuerez point, car je vous l'interdis ! Et vous croyez peut-être aussi que vous allez rester ici à tirer la langue avec des airs de grands seigneurs, quand vous n'êtes en vérité que des chiens, que je chasse… comme ceci ! Allez-vous-en ! »

Le feu ronflait au bout de la branche ; Mowgli frappa à tour de bras autour de lui. Les loups s'enfuirent en hurlant, sous les étincelles qui leur brûlaient le poil. Il ne resta bientôt qu'Akela, Bagheera et une dizaine de loups qui avaient pris le parti de Mowgli. Mowgli sentit alors une vive douleur l'étreindre, telle qu'il n'en avait jamais éprouvé jusque-là ; sa gorge se noua, il éclata en sanglots et les larmes ruisselèrent sur ses joues.

« Qu'est-ce qui m'arrive ? qu'est-ce qui m'arrive ? dit-il. Je n'ai pas envie de quitter la Jungle et je ne sais pas ce qui m'arrive. Suis-je en train de mourir, Bagheera ?

— Non, Petit Frère. Ce ne sont que des larmes, comme en versent les hommes, dit Bagheera. Maintenant, je sais que tu es un homme, et non plus un petit d'homme. La Jungle t'est désormais bel et bien interdite. Laisse-les couler, Mowgli. Ce ne sont que des larmes. »

Mowgli s'assit ; et lui qui n'avait jamais pleuré de sa vie versa toutes les larmes de son corps.

« A présent, dit-il, je vais aller chez les hommes, mais il me faut d'abord dire adieu à ma mère. »

Il se rendit à la grotte où elle vivait avec Père Loup. Il pleura dans la fourrure de Mère

Louve, tandis que les quatre louveteaux hurlaient à fendre l'âme.

« Vous ne m'oublierez pas? dit Mowgli.

— Jamais, tant que nous pourrons suivre une piste, dirent les louveteaux. Quand tu seras grand, viens au pied de notre butte, et nous te parlerons; nous descendrons aussi jouer avec toi, la nuit, dans les cultures.

— Reviens vite! dit Père Loup. Reviens vite, petite grenouille intelligente! car nous sommes vieux, ta mère et moi.

— Reviens vite! dit Mère Louve, petit bonhomme nu de mon cœur; car, apprends-le, fils d'homme : je t'ai aimé plus que je n'ai jamais aimé mes louveteaux.

— Je reviendrai sûrement, dit Mowgli; et, cette fois, ce sera pour étaler la peau de Shere Khan sur le Rocher du Conseil. Ne m'oubliez pas! Dites-leur, à ceux de la Jungle, de ne jamais m'oublier! »

L'aube commençait à poindre lorsque Mowgli descendit seul la colline à la rencontre de ces êtres mystérieux qu'on appelle les hommes.

Chanson de Chasse
de la Meute de Seeonee

A peine l'aube née, le Sambar a bramé
    Un coup, deux fois, encore!
Une biche buvait, qui soudain l'entendit.
Et la biche a bondi! de la mare, a bondi!
Je les ai débusqués, moi, l'éclaireur hardi,
    Un coup, deux fois, encore!

A peine l'aube née, le Sambar a bramé
    Un coup, deux fois, encore!
A pas de loup, à pas de loup, le loup revint :
« Vous m'attendiez, les loups! Et ce n'est
                          [pas en vain. »
Puis, sur le cerf surpris, nous nous jetons à vingt,
    Un coup, deux fois, encore!

A peine l'aube née, la Meute a aboyé
    Un coup, deux fois, encore!
Des pas qui, dans la Jungle, sont devenus
                            [célèbres…
Des yeux qui, dans la nuit, traversent
                          [les ténèbres…
Écoutez! Hao! Hao! nos cris funèbres!
    Un coup, deux fois, encore!

2

Quand Kaa[1] chasse

La joie du Léopard est d'être tacheté.
Ses cornes font du Buffle l'orgueil et la fierté.
Ainsi, pour tout chasseur, vive la propreté !
Car un poil sans éclat trahit la lâcheté.

Si soudain tu découvres qu'en l'air peut te jeter
Le Buffle, ou le Sambar au front lourd t'éventrer,
Vraiment pour nous, point n'est besoin de t'arrêter :
Voilà bien dix saisons qu'ils nous l'ont démontré !

Aux rejetons des inconnus, point de misères :
En sœurs, en frères, mieux vaut que tu les considères.
Courtauds, patauds, balourds, ils peuvent te déplaire.
Mais il se pourrait faire que l'Ourse soit leur mère.
Dès sa première proie, quel Rejeton ne lance :

---

1. Un nom que j'ai forgé d'après l'étrange sifflement qu'émet un gros serpent, la bouche ouverte.

« C'est bien moi le meilleur ! » ? Mais la Jungle est
[immense ;
Petit, le Rejeton. Mieux vaut donc qu'il commence
Par réfléchir un peu et garder le silence.

Maximes de Baloo.

Tout ce qui est ici raconté s'est passé
quelque temps avant que Mowgli soit exclu
de la Meute des loups de Seeonee et qu'il
prenne sa revanche sur le tigre Shere Khan. A
l'époque, il apprenait encore la Loi de la
Jungle avec Baloo. Le gros ours brun, vieux et
grave, était ravi d'avoir un élève aussi vif ; car
les jeunes loups se contentent d'apprendre les
seuls articles de la Loi de la Jungle qui ont
trait à leur meute et tribu, et disparaissent dès
qu'ils savent par cœur leur Couplet de
Chasse : « Des pas qui ne s'entendent ; des
yeux qui percent les ténèbres ; des oreilles qui
savent capter le vent jusqu'au fond des tanières ; des crocs blancs acérés ; voilà ce qui
caractérise nos frères, à l'exception de Tabaqui
le Chacal et de la Hyène, que nous haïssons. » Mais Mowgli était un petit d'homme :
il dut en apprendre bien davantage. Parfois,
Bagheera, la Panthère Noire, traversait non-
chalamment la Jungle pour venir juger des
progrès de son protégé : la tête appuyée

contre un arbre, Bagheera ronronnait, tandis que Mowgli récitait à Baloo la leçon du jour. Le garçon était presque aussi habile à grimper qu'à nager et presque aussi bon à la nage qu'à la course. Ainsi Baloo, le Docteur de la Loi, l'initia aux Lois des Eaux et des Bois : reconnaître les bonnes branches des pourries ; s'adresser poliment aux abeilles sauvages quand on tombe sur une de leurs ruches à quinze mètres du sol ; s'excuser auprès de Mang, la Chauve-Souris, quand on la dérange dans les branches en plein midi ; savoir prévenir les serpents d'eau avant de plonger dans leurs mares. Nul, dans la Jungle, n'aime être dérangé et l'on y est toujours prompt à bondir sur l'intrus. Et puis, Mowgli apprit aussi le Cri de Chasse de l'Étranger, que doit répéter tout haut, jusqu'à ce qu'il obtienne réponse, tout Citoyen de la Jungle en chasse hors de son territoire. Transcrit, il signifie : « Accordez-moi de chasser ici parce que j'ai faim » ; à quoi il est répondu : « D'accord, mais chasse pour te nourrir et non pour t'amuser. » Mowgli, vous le voyez, avait quantité de leçons à apprendre par cœur et il finit par se lasser d'avoir à réciter cent fois la même chose. Mais, comme

Baloo l'avait dit à Bagheera un jour où Mowgli était parti en colère après s'être fait frotter les oreilles :

« Un petit d'homme est un petit d'homme : il lui faut apprendre toute, je dis bien toute, la Loi de la Jungle.

— Mais il est tout petit, voyons ! répliqua la Panthère Noire (car, n'eût-il tenu qu'à Bagheera, Mowgli n'en aurait fait qu'à sa tête) ; si tu crois qu'il y a de la place dans sa petite tête pour tous tes longs discours…

— Dans la Jungle, est-on jamais trop petit pour se faire tuer ? Non ! Voilà pourquoi je lui en apprends autant ; voilà pourquoi je lui donne une petite tape toute douce, quand il oublie.

— Toute douce ! Que connaît à la douceur une vieille Patte de Fer comme toi ? ronchonna Bagheera. Tu es tellement… doux qu'il a aujourd'hui le visage couvert de bleus ! Pouah !

— Mieux vaut pour lui être couvert de bleus de la tête aux pieds à cause de moi, qui l'aime, plutôt que de se faire massacrer par ignorance, rétorqua Baloo avec feu. Je suis en train de lui apprendre les Maîtres Mots de la Jungle, qui garantiront sa sécurité auprès des oiseaux, du Peuple des Serpents et de tous ceux qui chassent à quatre pattes, à l'exception de sa propre meute. S'il veut seulement se donner la peine de se rappeler ces mots, il peut désormais demander protection à n'importe qui dans la Jungle. Cela ne vaut-il pas une petite correction?

— Soit, mais prends garde de ne pas tuer le petit d'homme. Ce n'est pas un tronc d'arbre où te faire les griffes. A propos, quels sont ces Maîtres Mots dont tu parles? Remarque, ma nature me dispose davantage à venir en aide qu'à crier au secours (et Bagheera étira une patte et en admira, à l'extrémité, les griffes bleu acier, comme des gouges); néanmoins, j'aimerais savoir.

— Je vais appeler Mowgli et il va les réciter... s'il accepte. Viens, Petit Frère!

— J'ai la tête qui bourdonne comme un arbre à frelons », dit une petite voix chagrine au-dessus de leurs têtes.

Sur ce, Mowgli se laissa glisser au bas d'un tronc. Il avait l'air furieux, ulcéré; à peine eut-il touché terre, il ajouta :

« Si je viens, c'est pour Bagheera; pas pour toi, gros vieux Baloo!

— Que veux-tu que ça me fasse ? dit Baloo, mortifié et peiné malgré tout. Tu ferais mieux de réciter à Bagheera les Maîtres Mots de la Jungle que je t'ai déjà appris.

— Les Maîtres Mots pour qui ? dit Mowgli, ravi d'étaler sa science. On parle quantité de langues dans la Jungle. Je les connais toutes, moi.

— T'en sais un petit bout, un tout petit bout. Tu vois, Bagheera ? jamais un mot de remerciement pour leur professeur. Il n'y a pas un louvart qui soit venu remercier le vieux Baloo de ses leçons. Eh bien ! dis-nous le mot destiné aux Peuples qui chassent, grand savant !

— Vous et moi du même sang nous sommes, dit Mowgli, avec l'accent ours propre à tous ceux qui chassent.

— Bien. Au tour des oiseaux, maintenant. »

Mowgli répéta la formule, cette fois en imitant le milan à la fin.

« Le Peuple des Serpents, maintenant », dit Bagheera.

Un sifflement parfaitement indescriptible lui répondit ; Mowgli sauta à pieds joints par-derrière, battit des mains pour s'applaudir et bondit sur le dos de la Panthère ; assis les

jambes du même côté, il tambourina des talons sur la peau chatoyante, tout en gratifiant
Baloo des pires grimaces.

« Eh bien, tu vois ! ça valait bien quelques
bleus, dit l'ours brun avec tendresse. Un jour,
tu penseras à moi. »

Il se retourna ensuite vers Bagheera pour
lui expliquer qu'il avait prié Hathi[1], l'Éléphant Sauvage, de lui livrer les Maîtres Mots,

---

1. L'un des mots désignant un éléphant en Inde.

car Hathi n'en ignore aucun ; qu'Hathi avait emmené Mowgli à une mare pour entendre le Mot des Serpents de la bouche même d'un serpent d'eau, Baloo étant incapable de le prononcer ; et que Mowgli était à peu près à l'abri de toutes les mésaventures dans la Jungle, vu que ni serpent, ni oiseau, ni quadrupède ne lui ferait de mal.

« Et il n'a donc plus personne à craindre, conclut Baloo, en tapotant fièrement son gros ventre fourré.

— Sauf sa propre tribu, dit Bagheera, à mi-voix, avant d'ajouter tout haut, à l'adresse de Mowgli : Aie pitié de mes côtes, Petit Frère ! Qu'as-tu à te trémousser comme ça ? »

Depuis un moment, dans l'espoir de se faire entendre, Mowgli tirait sur la robe de Bagheera à hauteur de l'épaule et bourrait la Panthère de coups de pied. Quand ses deux amis prêtèrent enfin l'oreille, il braillait :

« Et d'abord, je vais avoir une tribu à moi tout seul, qui me suivra dans les branches toute la journée.

— Et quelle est cette nouvelle sottise, petit rêveur ? demanda Bagheera.

— Parfaitement, et je bombarderai le

vieux Baloo de branches et de saletés, poursuivit Mowgli. Ils me l'ont promis.

— *Whoof !* »

La grosse patte de Baloo vint cueillir Mowgli sur l'échine de Bagheera. Couché sous les deux grosses pattes antérieures de l'ours, le garçon vit que Baloo était en colère.

« Mowgli, dit Baloo, tu as parlé aux *Bandar-log*, au Peuple des Singes. »

Mowgli risqua un œil du côté de Bagheera, pour voir si la Panthère était elle aussi en colère : les yeux de Bagheera étaient durs comme du jade.

« Tu es allé traîner avec le Peuple des Singes, les singes gris, le peuple sans Loi, ceux qui mangent n'importe quoi. Quelle honte !

— Quand Baloo m'a tapé sur la tête, dit Mowgli (toujours à la renverse), je me suis sauvé ; les singes gris sont alors descendus des arbres et, eux, ils ont eu pitié de moi. Ils ont été les seuls. »

Il renifla deux ou trois fois.

« Pitié ? Le Peuple des Singes ? renâcla Baloo. Autant parler de l'immobilité du torrent ! Ou de la fraîcheur du soleil d'été ! Et ensuite, petit d'homme ?

— Alors… après, ils m'ont donné des cacahuètes et plein de bonnes choses à manger et ils m'ont… ils m'ont emporté dans
leurs bras jusqu'en haut des arbres ; ils m'ont
dit que j'étais leur frère de sang, sauf qu'il
me manquait une queue, et qu'un jour je
serais leur chef.

— Ils n'ont pas de chef, dit Bagheera. Ils
mentent. Ils ont toujours menti.

— Ils ont été très gentils et ils m'ont invité
à revenir. Pourquoi ne m'a-t-on jamais emmené chez le Peuple des Singes ? Ils se tien-
nent debout comme moi. Ils ne me frappent
pas avec une patte de fer. Ils jouent toute la
journée. Je veux me relever ! Tu es vilain,
Baloo ! laisse-moi me relever ! J'ai envie de
jouer encore avec eux.

— Écoute, petit d'homme, dit l'Ours, dont
la voix roula comme le tonnerre d'une nuit
torride. Je t'ai appris toute la Loi de toute la
Jungle – sauf celle du Peuple des Singes qui
vit dans les arbres. Ils n'ont pas de Loi. Ce
sont des parias. Ils n'ont pas de langage qui
leur soit propre ; ils se servent de mots volés
qu'ils saisissent quand ils écoutent, quand ils
épient, quand ils guettent là-haut dans les

branches. Ils ne se comportent pas comme nous. Ils n'ont pas de chefs. Ils n'ont pas de mémoire. Ils se vantent, ils jacassent, ils se donnent pour un grand peuple, sur le point d'accomplir de grandes choses dans la Jungle ; mais qu'une noix tombe, ils ne pensent plus qu'à rire et tout est oublié. Nous autres, de la Jungle, nous ne les fréquentons pas. Où ils boivent, nous ne buvons pas ; où ils vont, nous n'allons pas ; où ils chassent, nous ne chassons pas, où ils meurent, nous ne mourons pas. Avant aujourd'hui, m'as-tu jamais entendu parler des *Bandar-log* ?

— Non, lança Mowgli dans un murmure, car maintenant que Baloo avait terminé sa tirade, la forêt était plongée dans le plus grand silence.

— Le Peuple de la Jungle les a bannis de ses lèvres et de sa pensée. Ils grouillent, ils sont méchants, sales, sans pudeur et ont envie – pour autant qu'ils aient une envie précise – que le Peuple de la Jungle les remarque. Mais nous ne les remarquons absolument pas, même quand ils nous bombardent d'immondices et de noix. »

A peine avait-il terminé, qu'une grêle de

noix et de brindilles troua les feuillages ; ils entendirent tousser, sauter, trépigner, hurler, là-haut, dans le houppier des arbres.

« Le Peuple des Singes est proscrit, dit Baloo, proscrit par Ceux de la Jungle. Souviens-t'en.

— Proscrit, renchérit Bagheera. Mais je continue à penser que Baloo aurait dû te mettre en garde.

— Qui ? Moi ? Mais jamais je n'aurais deviné qu'il serait allé jouer avec pareils sagouins ! Le Peuple des Singes ! Berk ! »

Une nouvelle averse s'abattit sur leurs têtes et les deux compères s'éloignèrent au petit trot, en entraînant Mowgli. Ce que Baloo avait dit des singes était pure vérité. Ils avaient élu domicile à la cime des arbres et, comme les fauves regardent rarement en l'air, le chemin des singes et celui du Peuple de la Jungle n'avaient pas l'occasion de se croiser. Mais, dès qu'ils trouvaient un loup malade, un tigre ou un ours blessé, les singes le tourmentaient ; ils lançaient des bouts de bois et des noix à n'importe quel animal, pour le plaisir et dans l'espoir de se faire remarquer. Ensuite ils se mettaient à hurler, braillaient des chansons sans queue ni tête, invitaient le Peuple de la Jungle à venir en découdre avec eux dans leurs arbres, ou se livraient entre eux des batailles acharnées, sans motif, avant d'abandonner les singes morts au vu de toute la Jungle. Toujours sur le point de se donner un chef, des lois et coutumes spécifiques, ils n'y parvenaient jamais, car ils oubliaient le lendemain ce qu'ils avaient dit la veille ; aussi forgèrent-ils un dicton, qui régla toute l'affaire : « Ce que les *Bandar-log* pensent aujourd'hui, la Jungle le pensera demain » ; ils en tiraient grand réconfort. Hors de portée des grands fauves, ils en étaient dans le même temps royalement ignorés ; c'est pourquoi ils étaient si contents d'avoir entraîné Mowgli dans leurs jeux et d'entendre la grande colère de Baloo.

Ils n'avaient pas pensé plus loin (les *Bandar-log* ne pensaient jamais plus loin) ; mais l'un d'eux eut une idée qui lui parut lumineuse : il alla dire à tous les autres que Mowgli serait quelqu'un de très utile à la tribu, parce qu'il savait entrelacer des bouts de bois pour se protéger du vent ; et donc, s'ils capturaient Mowgli, ils pourraient l'obliger à les instruire. Naturellement, Mowgli, fils de bûcheron, avait hérité de toutes sortes de dons : il s'amusait à bâtir, d'instinct, de petites huttes avec des branches mortes ; et le Peuple des Singes, posté en haut de ses arbres, s'en émerveillait. Cette fois, se dirent-ils, ils allaient pour de bon avoir un chef et devenir le peuple le plus astucieux de la Jungle, au point d'être remarqués et enviés par tous les autres. Ils suivirent donc Baloo, Bagheera et Mowgli à travers la Jungle, sans un bruit, jusqu'à l'heure de la sieste, l'après-midi. Mowgli, tout penaud, s'endormit entre la Panthère et l'Ours, résolu à ne plus jamais frayer avec le Peuple des Singes.

Il ne devait, par la suite, se souvenir que de mains lui courant sur les jambes et les bras, de petites mains dures et fortes, de branches lui cinglant le visage, et le voilà, pris dans un grand remous de branches, qui regardait, les yeux rivés au sol, tandis que Baloo réveillait la Jungle avec ses cris profonds et que Bagheera partait à l'assaut du tronc, tous ses crocs dénudés. Hurlant de triomphe, la mêlée des *Bandar-log* se rua jusqu'au faîte de l'arbre, où Bagheera n'osa pas les suivre.

Ils criaient : « Elle nous a remarqués ! Bagheera nous a remarqués ! Tout le Peuple de la Jungle nous admire pour notre adresse, pour notre ruse. »

Alors, ils prirent leur envol ; et le vol du Peuple des Singes au pays des arbres est un spectacle qui ne peut se décrire. Ils ont, par monts et par vaux, de véritables routes et carrefours, un chemin tout tracé à quinze, vingt, trente mètres du sol, qu'ils peuvent suivre même la nuit, s'il le faut. Deux des singes parmi les plus robustes empoignèrent Mowgli sous les bras et se jetèrent avec lui de cime en cime, par bonds de plus de cinq mètres à la fois. Seuls, ils auraient pu filer deux fois plus vite, mais le poids du garçon les ralentissait. Mowgli avait mal au cœur, il avait le vertige ; mais il ne pouvait s'empêcher de jouir de cette course échevelée ; pourtant, la vision éclair de la terre si loin en contrebas lui glaçait le sang et l'horrible choc qui venait ponctuer chaque saut par-dessus le vide lui soulevait le cœur jusqu'aux lèvres. Son escorte l'entraînait à toute vitesse vers la cime de l'arbre, d'où, quand il sentait lui-même les tout derniers rameaux se fendiller et ployer sous leur poids, les deux singes se jetaient dans le vide avec un cri rauque, pour finir accrochés par les mains ou les pieds aux branches basses de l'arbre voisin. Parfois, il voyait sur des lieues à la ronde le vert de la Jungle immobile, comme un homme, du haut d'un mât, voit s'étendre à l'infini la mer ; une seconde plus tard, branches et feuilles lui cinglaient la face et Mowgli, entre ses deux gardes, se retrouvait presque au niveau du sol. Ainsi, bondissante et fracassante, toute la tribu des *Bandar-log* hurlait, toussait, emportait au long de ses chemins d'arbres Mowgli, son prisonnier.

Au début, il eut peur d'être lâché ; puis vint la colère, mais il eut la sagesse de ne pas résister ; finalement, il se mit à réfléchir. D'abord, il fallait prévenir Baloo et Bagheera, car, au train des singes, Mowgli savait que ses amis seraient vite distancés. Inutile, pour lui, de regarder en bas : il ne voyait que le dessus des ramures ; aussi leva-t-il les yeux en l'air. Il aperçut alors, au fin fond de l'azur, Chil le Milan qui tournoyait et balançait ses ailes : il attendait que meure quelque chose dans la Jungle. S'avisant que les singes emportaient une charge, le Milan se laissa choir d'une bonne centaine de mètres, pour voir si, par hasard, c'était bon à manger. Il lâcha un sifflement de surprise quand il vit Mowgli hissé de force à la cime d'un arbre et l'entendit lancer l'Appel au Milan : « Toi et moi, du même sang nous sommes ! »

Puis la houle des branches engloutit le garçon, mais Chil se laissa déporter au-dessus de l'arbre voisin, juste à temps pour voir resurgir le petit visage brun.

« Repère le chemin ! cria Mowgli. Préviens Baloo de la Meute de Seeonee et Bagheera du Rocher du Conseil.

— De la part de qui, Frère ? »

Chil avait évidemment entendu parler de Mowgli, mais il ne l'avait jamais vu.

« De Mowgli, la Grenouille. On m'appelle Petit d'homme. Repère par où je paaaasse ! »

La phrase de Mowgli finit en cri, tandis qu'on l'entraînait dans le vide ; mais Chil hocha la tête et remonta jusqu'à n'être plus qu'une infime poussière ; en suspens là-haut, il garda le télescope de ses yeux braqué sur

le remous des cimes dans le sillage de Mowgli
et de son escorte tourbillonnante.

« Ils ne vont jamais loin, se dit Chil, gogue-
nard. Ils ne font jamais ce qu'ils étaient partis
pour faire. Ils sont toujours à picorer ce qui est
nouveau, les *Bandar-log*. Ça les attire. Mais,
cette fois, si j'y vois clair, ils vont eux-mêmes
s'attirer des ennuis, car Baloo n'est pas exactement une mauviette et Bagheera peut, que je
sache, tuer autre chose que des chèvres. »

Il resta donc à balancer ses ailes, les pattes
groupées sous le ventre, en attente.

Pendant ce temps, Baloo et Bagheera
étaient fous de rage et de chagrin. Bagheera
grimpait aux arbres comme jamais, mais les
menues branches du haut cédaient sous son
poids : la Panthère glissait et retombait, les
griffes pleines d'écorce.

« Pourquoi n'as-tu pas prévenu le petit
d'homme ? rugit-elle aux oreilles du pauvre
Baloo qui trottait tant bien que mal dans l'espoir de rattraper les singes. A quoi bon
l'avoir à moitié tué, si par ailleurs tu ne
l'avais pas mis en garde ?

— Vite ! vite ! On peut... on peut encore
les rattraper ! haletait Baloo.

74

— A cette allure! Ça ne fatiguerait même pas une vache blessée. Docteur de la Loi… bourreau de petits d'homme, encore deux kilomètres à te dandiner de la sorte et tu vas éclater. Assieds-toi et réfléchis. Pense à un plan. Ce n'est pas le moment de pourchasser qui que ce soit. Ils risquent de le lâcher, si nous suivons de trop près.

— *Arrula! Whoo!* peut-être même, lassés de le porter, l'ont-ils déjà lâché… Qui peut faire confiance aux *Bandar-log*? Qu'on me coiffe de chauves-souris crevées! Qu'on me donne des os noirs à ronger! Qu'on me roule dans les ruches des abeilles sauvages, qui me piqueront à mort, et qu'on m'enterre avec la Hyène, car je suis le plus malheureux des ours! *Arrulala! Wahooa!* Mowgli! Mowgli! Que ne t'ai-je mis en garde contre le Peuple des Singes, au lieu de te fendre le crâne! Et si mes coups lui avaient fait sortir de la tête la leçon du jour? Il sera tout seul dans la Jungle, privé des Maîtres Mots. »

Baloo se prit la tête entre les pattes et se dandina en gémissant.

« En tout cas, il vient de me réciter correctement tous les Mots, dit Bagheera, excédée.

75

Baloo, tu n'as ni mémoire ni amour-propre. Que penserait-on dans la Jungle, si moi, la Panthère Noire, je me roulais en boule comme Sahi, le Porc-Épic, et hurlais ?

— Je me fiche de ce qu'on pense dans la Jungle. Peut-être est-il déjà mort.

— Sauf s'ils s'amusent à le laisser choir des branches, ou s'ils le tuent, par désœuvrement, je n'ai aucune crainte pour le petit d'homme. Il est intelligent, instruit et surtout, il a ces yeux qui font si peur au Peuple de la Jungle. Mais, hélas ! il est à la merci des *Bandar-log* ; et comme ils vivent dans les arbres, aucun de nous ne les intimide. »

Bagheera se lécha une patte de devant, d'un air songeur.

« Quel idiot je suis ! Un gros idiot à poil brun qui n'est bon qu'à déterrer des racines ! dit Baloo en se déroulant brusquement. Hathi, l'Éléphant Sauvage, a bien raison : "A chacun sa peur" ; les *Bandar-log*, eux, ils ont peur de Kaa, le Serpent. Il grimpe aux arbres aussi bien qu'eux. Il vole les jeunes singes dans l'obscurité. Il suffit de murmurer son nom, aussitôt leur vilaine queue se glace. Allons trouver Kaa !

— Que fera-t-il pour nous? Il ne fait pas partie de notre tribu : il n'a pas de pattes… et il a les yeux si méchants! dit Bagheera.

— Il est très vieux et très rusé. Surtout, il a toujours faim, dit Baloo pour se rassurer. Promets-lui plein de chèvres!

— Une fois repu, il dort un mois entier. Peut-être dort-il en ce moment; à supposer même qu'il soit réveillé, peut-être préfère-t-il tuer ses chèvres lui-même? »

Bagheera, qui ne savait pas grand-chose sur Kaa, était d'un naturel soupçonneux.

« En ce cas, vieux chasseur, à nous deux, nous pourrions lui faire entendre raison. »

Là-dessus, Baloo frotta le poil décoloré de son épaule contre la Panthère et tous deux se mirent en quête du Python Kaa.

Ils le trouvèrent étendu de tout son long sur une saillie rocheuse, au chaud soleil de l'après-midi, en train d'admirer la splendeur de sa nouvelle peau; car, après avoir disparu dix jours pour faire peau neuve, il était revenu absolument superbe. Il dardait le nez camus de sa grosse tête au ras du sol, nouait et tordait ses dix mètres de corps en figures fantastiques et se pourléchait à l'idée de son prochain repas.

« Il n'a pas encore mangé, dit Baloo, en lâchant un grognement de soulagement à la vue de la somptueuse livrée aux marbrures jaunes et brunes. Attention, Bagheera ! Kaa n'y voit jamais très clair après sa mue et il a la détente rapide. »

Kaa n'était pas venimeux : en fait, il tenait les serpents venimeux pour des lâches et les méprisait ; sa force résidait dans son étreinte et, une fois qu'on était pris dans ses énormes anneaux, tout était dit.

« Bonne chasse ! » cria Baloo en s'asseyant.

Comme tous les serpents de son espèce, Kaa était un peu sourd : d'abord, il n'entendit pas Baloo. Puis, il se tassa, prêt à toute éventualité, la tête baissée.

« Bonne chasse à nous tous ! répondit-il. Tiens ! Baloo ! Qu'est-ce qui t'amène ? Bonne chasse, Bagheera ! De nous trois, j'en connais au moins un qui a faim. Signale-t-on du gibier dans les parages ? Une biche, par exemple, ou même un jeune hère ? Je suis vide comme un puits sec.

— Nous sommes nous-mêmes en train de chasser », dit Baloo, négligemment. Il savait qu'il ne faut jamais bousculer Kaa. Il est trop gros.

« Permettez-moi de vous accompagner, dit Kaa. Un coup de patte de plus, un coup de patte de moins, pour toi, Bagheera, comme pour toi, Baloo, c'est si facile… Moi, je dois attendre des journées entières, tapi sur une sente, ou passer la moitié d'une nuit perché sur un tronc, dans le simple espoir d'attraper un jeune singe. Tsss! Les branches ne sont plus ce qu'elles étaient quand j'étais jeune. Ce ne sont plus aujourd'hui que brindilles et ramilles sèches.

— Peut-être que ton poids considérable y est pour quelque chose, suggéra Baloo.

— Certes, je suis d'une belle longueur… d'une belle longueur, dit Kaa non sans orgueil. Malgré tout, j'incrimine ces nouvelles essences qui poussent de nos jours. Lors de ma dernière chasse, j'ai bien failli tomber… oui, bien failli… et, en dérapant, car je n'avais pas la queue serrée assez dur autour de l'arbre, j'ai réveillé les *Bandar-log*, qui m'ont alors traité de noms abominables.

— Espèce de ver de terre jaune… cul-de-jatte, dit Bagheera dans sa moustache, comme si elle essayait de se rappeler quelque chose.

— Sssss! Ils auraient parlé de moi en ces termes? dit Kaa.

— Ils nous ont braillé quelque chose dans ce genre à la dernière lune, mais nous n'avons absolument pas fait attention. Ils disent n'importe quoi... que tu as perdu toutes tes dents, par exemple, et que tu ne t'attaqueras jamais à plus gros qu'un biquet, parce que (c'est une honte, ces *Bandar-log*!)... parce que tu as peur des cornes du bouc », poursuivit Bagheera d'un ton suave.

Un serpent, surtout un vieux python circonspect comme Kaa, montre rarement qu'il est en colère, mais Baloo et Bagheera voyaient enfler et onduler les gros muscles broyeurs de chaque côté de sa gorge.

« Les *Bandar-log* ont changé de territoire, dit Kaa posément. Quand je suis ressorti au soleil aujourd'hui, j'ai entendu leur tapage en haut des arbres.

— C'est... c'est les *Bandar-log* que nous suivons en ce moment », dit Baloo.

Les mots avaient du mal à sortir de sa gorge, car, de mémoire de Baloo, jamais

Citoyen de la Jungle n'avait avoué s'intéresser aux faits et gestes des singes.

« Ce doit être quelque affaire capitale qui pousse deux chasseurs de votre qualité (maîtres, eux aussi, dans leur Jungle, je n'en doute pas) sur la piste des *Bandar-log*, répondit poliment Kaa, qui enflait en même temps de curiosité.

— Oh! moi, commença Baloo, je ne suis rien de plus que le vieux et parfois très sot Professeur de la Loi auprès des louveteaux de Seeonee, et Bagheera ici présente…

— … est Bagheera, trancha la Panthère Noire dans un claquement de mâchoires, car l'humilité n'était pas son credo. Voici le problème, Kaa : ces voleurs de noix, ces cueilleurs de palmes nous ont volé notre petit d'homme, dont tu as peut-être entendu parler.

— Sahi m'a effectivement parlé de je ne sais quel machin d'homme admis dans une meute de loups, mais je ne l'ai pas cru (ses piquants le rendent présomptueux) : Sahi est toujours plein d'histoires à moitié entendues et racontées de travers.

— Mais, cette fois, c'est vrai. C'est un petit

d'homme comme on n'en a jamais vu, dit Baloo. C'est le meilleur, le plus intelligent, le plus hardi des petits d'homme... et c'est mon propre élève : grâce à lui, Baloo sera célèbre à travers toutes les jungles ; et puis, je... nous... l'aimons, Kaa.

— Ts ! ts ! dit Kaa en tressant l'air avec la tête ; moi aussi, j'ai connu l'amour. Je pourrais vous en raconter, des histoires qui...

— ... qui requièrent une belle nuit étoilée, quand nous avons tous le ventre plein, pour être appréciées correctement, s'empressa de dire Bagheera. Pour le moment, notre petit d'homme est aux mains des *Bandar-log*, et nous savons que, de tout le Peuple de la Jungle, seul Kaa leur fait peur.

— Moi seul. Je les comprends, dit Kaa. Les singes, c'est bavard, c'est stupide, c'est vaniteux – c'est vaniteux, c'est stupide, c'est bavard. Mais je plains le machin d'homme qui leur tombe entre les mains. Ils se lassent des noix qu'ils cueillent et les jettent. Ils passent une demi-journée entière à transporter une branche, avec l'intention d'en faire de grandes choses, puis ils la cassent en deux. Non, la situation de ce machin d'homme n'est guère enviable. Sans compter qu'ils m'ont appelé... poisson jaune, c'est ça?

— Ver... ver... ver de terre, dit Bagheera, et autres noms que la pudeur m'empêche de répéter ici.

— Il faut leur rappeler le respect dû à leur supérieur. *Aaa-ssp!* Nous allons devoir leur rafraîchir la mémoire. Par où sont-ils partis avec le petit?

— La Jungle seule le sait. Du côté du couchant, je crois, dit Baloo. Nous pensions que toi, Kaa, tu le saurais.

— Moi? Et comment? J'en attrape quand ils croisent mon chemin, mais je ne chasse pas les *Bandar-log* ni les grenouilles... ni d'ailleurs l'écume verdâtre sur les marigots. *Hsss!*

— Là-haut! là-haut! là-haut! Hillo! illo! illo! regarde là-haut, Baloo de la Meute des Loups de Seeonee! »

Baloo leva les yeux pour voir d'où venait la voix : c'était Chil, le Milan, qui descendait sur eux dans un grand vol plané, les bords retroussés de ses ailes miroitant au soleil. Pour Chil, c'était bientôt l'heure de se coucher, mais il avait survolé toute la Jungle à la recherche de l'Ours, dissimulé par l'épaisseur des frondaisons.

« Qu'y a-t-il? dit Baloo.

— J'ai vu Mowgli parmi les *Bandar-log*. Il m'a prié de te prévenir. J'ai surveillé. Les *Bandar-log* l'ont emmené de l'autre côté du fleuve, à la ville des singes, aux Tanières Froides. Ils peuvent y rester une nuit, dix nuits ou juste une heure. J'ai demandé aux chauves-souris de guetter quand il fera nuit. Voilà ce que j'avais à vous dire. Bonne chasse, à vous tous en bas!

— Bonne nuit à toi, Chil, et gosier plein! cria Bagheera. Je me souviendrai de toi la prochaine fois que je tuerai une proie; je te réserverai la tête, à toi, le plus gentil des milans!

— Ce n'est rien, ce n'est rien. Le garçon détenait le Maître Mot. Je ne pouvais faire moins. »

Et Chil, à grands cercles, remonta vers son aire.

« Il n'a pas oublié qu'il avait une langue, dit Baloo, en gloussant de fierté. Si jeune, se souvenir même du Maître Mot des oiseaux, alors qu'on est emporté d'arbre en arbre!

— On le lui avait fait entrer dans le crâne avec énergie, dit Bagheera. Mais je suis fière de lui. Et maintenant, filons aux Tanières Froides. »

Ils en connaissaient tous le chemin, mais, dans l'ensemble, le Peuple de la Jungle répugnait à s'y rendre : en effet, ils appelaient Tanières Froides une ville abandonnée, perdue, enfouie au cœur de la Jungle et les bêtes n'aiment guère les lieux où les hommes ont un jour habité. Le sanglier, oui ; mais les tribus de chasseurs, non. En outre, les singes y avaient élu domicile (si tant est qu'ils puissent se fixer quelque part), et nul animal qui se respecte n'en eût approché à portée de regard, sauf en période de sécheresse, quand les réservoirs et les bassins plus ou moins effondrés conservaient un peu d'eau.

« C'est à une demi-nuit d'ici… ventre à terre », dit Bagheera.

Baloo fit grise mine : « J'irai le plus vite possible, dit-il d'une voix inquiète.

— Nous ne prenons pas le risque de t'attendre. Suis-nous, Baloo. Kaa et moi, il nous faut y filer, à toutes jambes…

« — Jambes ou pas jambes, je vais aussi vite que vos quatre pattes », dit Kaa sèchement.

Baloo fit un effort pour hâter le pas ; mais il dut s'asseoir, à bout de souffle. Ils le laissèrent donc : Baloo les rejoindrait plus tard. Bagheera s'élança, au triple galop des panthères. Kaa ne broncha pas, mais Bagheera avait beau forcer l'allure, l'énorme Python ne décrochait pas d'un pouce. Au passage d'un torrent, la panthère prenait une longueur d'avance : elle bondissait par-dessus, alors que Kaa devait traverser à la nage, la tête et un bon demi-mètre de cou hors de l'eau. Mais, sur terrain plat, Kaa rattrapait son retard.

« Par le Cadenas Brisé qui m'a délivrée, dit Bagheera à la tombée du jour, tu ne traînes pas, dit donc, toi !

— J'ai faim, dit Kaa. Sans oublier qu'ils m'ont traité de grenouille tachée…

— De ver… ver de terre, et jaune, par-dessus le marché !

— C'est pareil. Allons-y ! »

Kaa donnait l'impression de couler par terre : ses yeux fixes repéraient le chemin le plus court, dont il ne déviait jamais.

Aux Tanières Froides, le Peuple des Singes

était à mille lieues de penser aux amis de Mowgli. Ils avaient amené le garçon à la Cité Perdue ; pour l'instant, ils étaient très contents de leur exploit. Mowgli n'avait jamais vu de ville indienne ; celle-ci, réduite pourtant à un tas de ruines, ou presque, lui parut merveilleuse et splendide. Quelque roi l'avait bâtie jadis sur une petite colline. On distinguait encore les voies pavées menant aux portes délabrées, où quelques derniers éclats de bois pendaient aux gonds rongés de rouille. Partout parmi les murs poussaient les arbres. Les créneaux démantelés s'éboulaient ; aux fenêtres des tours, des lianes sauvages retombaient en grosses touffes sur les remparts.

Un immense palais sans toit couronnait la colline ; le marbre des fontaines et des cours s'était fendu, taché de rouge et de vert ; les pavés de la cour réservée jadis aux éléphants du roi s'étaient disjoints sous la poussée des herbes et des jeunes arbres. Vus du palais, les innombrables alignements de maisons sans toit dont se composait la ville ressemblaient à des rayons de miel vides, peuplés d'obscurité ; ici, un bloc de pierre informe —

ancienne idole – dressé à la croisée de quatre chemins ; là, au coin des rues, les fosses et les creux à l'emplacement des puits publics ; plus loin, les coupoles brisées des temples, avec des figuiers sauvages qui jaillissaient de leurs flancs.

Les singes appelaient cet endroit leur cité et affectaient de mépriser le Peuple de la Jungle, qui vit dans la forêt. Toutefois, ils ne devinèrent jamais ni la fonction de ces édifices ni la manière de les utiliser. Tantôt, assis en rond dans l'antichambre de la salle du conseil royal, ils se grattaient les puces et se prenaient pour des hommes. Tantôt ils visitaient en coup de vent les maisons sans toit, entassaient dans un coin plâtras et vieilles briques, oubliaient aussi vite leurs cachettes, se battaient, criaillaient, se bousculaient ; d'un seul coup, tout cessait : ils repartaient cabrioler dans les jardins en terrasse du roi, où ils s'amusaient à secouer orangers et rosiers pour en voir tomber les fruits et les fleurs. Les passages couverts, les souterrains du palais, les centaines de petites pièces ténébreuses, ils exploraient tout, sans jamais se rappeler ce qu'ils avaient déjà vu ou pas. Ils flânaient ainsi par deux, par trois, par bandes entières, et se racontaient mutuellement qu'ils faisaient comme les hommes. Ils s'abreuvaient aux réservoirs, en remuaient la boue, en troublaient l'eau et finissaient par se battre. Après quoi, ils se ruaient en bataillons serrés, clamant : « En sagesse, en finesse, en bonté, en vigueur, en douceur, personne dans la Jungle n'égale les *Bandar-log*. » Puis tout recommençait. Lassés bientôt de la ville, ils retournaient au faîte des arbres, dans l'espoir que le Peuple de la Jungle les remarquerait.

Formé selon la Loi de la Jungle, Mowgli n'aimait pas ce mode de vie et n'y comprenait rien. L'après-midi touchait à sa fin lorsque les singes arrivèrent aux Tanières Froides avec leur captif. Mais, au lieu de dormir, comme Mowgli l'aurait fait après un long voyage, les singes se lancèrent dans des rondes ineptes. L'un d'eux fit ensuite un discours, pour annoncer à ses compagnons que la capture de Mowgli ouvrait une nouvelle ère dans l'histoire des *Bandar-log*, car il allait leur montrer comment entrelacer bâtons et joncs pour se protéger des intempéries.

Mowgli cueillit plusieurs lianes, qu'il entreprit de tresser : les singes essayèrent de l'imiter ; mais, en un rien de temps, ils perdirent tout intérêt et se mirent à tirer la queue de leurs camarades ou à sauter en l'air à quatre pattes, en toussant.

« J'ai envie de manger, dit Mowgli. Je ne connais pas cette partie de la Jungle. Apportez-moi à manger ou autorisez-moi à chasser par ici. »

D'un bond, vingt, trente singes coururent lui chercher des noix et des papayes sauvages. Mais ils commencèrent à se chamailler en chemin et n'eurent pas le courage de revenir avec ce qui restait de fruits. Meurtri, furieux, affamé, Mowgli erra par la cité déserte, lançant par moments le Cri de Chasse de l'Étranger ; mais personne ne lui répondit : il se rendit compte alors qu'il était dans un bien mauvais pas. « Tout ce qu'a dit Baloo sur les *Bandar-log* est vrai, songea-t-il. Ils n'ont ni Loi, ni Cri de Chasse, ni chefs – rien que des mots stupides et des petites mains crochues. Si je meurs de faim ici, ou qu'ils me tuent, ce sera entièrement ma faute, voilà. Il faut tout de même que j'essaie de revenir chez moi, dans ma Jungle. Baloo va sûrement me battre. Tant pis! j'aime mieux ça que de cavaler après je ne sais quels pétales de rose avec les *Bandar-log*. »

A peine avait-il atteint le mur d'enceinte, que les singes le ramenèrent séance tenante, en lui disant qu'il ne connaissait pas son bonheur. Et de le pincer, pour l'en convaincre. Il serra les dents, sans broncher : pressé par les singes vociférants, il gagna une terrasse qui surplombait les bassins de grès rouge, à moitié pleins d'eau de pluie. Au milieu de la terrasse, se dressaient les ruines d'un pavillon d'été en marbre blanc, bâti pour des reines mortes cent ans plus tôt. Le toit en coupole, à moitié effondré, bouchait à présent le souterrain d'accès des reines au pavillon, à partir du palais. Mais des panneaux d'entrelacs ornaient les murs : splendide dentelle de marbre, d'une blancheur nacrée, incrustée d'agates, de cornalines, de jaspe et de lapis-lazuli. Et quand la lune émergea de derrière la colline, elle brilla au travers des ajours ; son ombre sur le sol dessina comme une guipure de velours noir. Malgré ses douleurs, son envie de dormir et sa faim, Mowgli ne put s'empêcher de rire quand les *Bandar-log* entreprirent, vingt à la fois, de lui dire à quel point ils étaient supérieurs, intelligents, forts et doux, et lui, stupide de vouloir les quitter. « Nous sommes formidables. Nous sommes libres. Nous sommes merveilleux. Nous sommes les êtres les plus merveilleux de la Jungle. Nous le disons tous ; c'est donc forcément vrai, clamaient-ils. Or, comme nous avons en toi une oreille nouvelle, en mesure de rapporter nos propos au Peuple de la Jungle, afin qu'à l'avenir il nous remarque, nous allons tout te révéler de nos excellentes personnes. » Mowgli ne fit aucune objection et les singes se rassemblèrent par centaines sur la terrasse pour écouter leurs hérauts chanter les louanges des *Bandar-log* ; et dès qu'un orateur, à bout de souffle, s'arrêtait, ils s'écriaient en chœur : « C'est la vérité ; nous disons tous pareil. » Mowgli hochait la tête, battait des paupières, acquiesçait à toutes leurs questions. Le vacarme lui donnait le tournis. « Tabaqui, le Chacal, les aura tous mordus, se dit-il, et maintenant ils ont contracté la rage. C'est sûrement *dewanee*, la folie. Ils ne dorment donc jamais ?

Tiens ! un nuage vient masquer cette lune de malheur… Si seulement il était assez gros, je pourrais profiter de l'obscurité pour me sauver. Mais je suis si fatigué. »

Ce même nuage, deux amis fidèles l'épiaient, tapis au fond du fossé éventré, au pied des remparts de la ville. Bagheera et Kaa, conscients du danger que représentait le Peuple des Singes, dès qu'il était en nombre, n'avaient aucune envie d'être téméraires. Les singes ne se battent qu'à cent contre un, et rares, dans la Jungle, sont ceux qui acceptent pareille mise.

« Je vais prendre par le mur ouest, chuchota Kaa, et profiter de la pente du terrain pour leur tomber dessus à l'improviste. Ce n'est pas qu'ils viendront se jeter sur mon dos par centaines, mais…

— Je sais, dit Bagheera. Si seulement ce bougre de Baloo était arrivé ! Faisons toujours ce que nous pouvons. Dès que ce nuage obscurcira la lune, j'irai jusqu'à la terrasse. Ils sont en train d'y tenir une sorte de conseil à propos du garçon.

— Bonne chasse ! » dit Kaa d'un air sinistre, avant de se couler vers le mur ouest.

C'était la partie des remparts la mieux conservée et le gros reptile perdit un peu de temps à chercher par où escalader les pierres. Le nuage vint masquer la lune. Et tandis que Mowgli s'interrogeait sur la suite des événements, il entendit le pas léger de Bagheera sur la terrasse. La Panthère Noire avait gravi en vitesse le talus, presque sans bruit, et ses coups de patte (car Bagheera, elle, ne perdait pas son temps à mordre) pleuvaient déjà sur les singes assis en rond autour de Mowgli sur cinquante ou soixante rangs de profondeur. Il y eut un hurlement d'épouvante et de rage. Tandis que Bagheera trébuchait sur les corps qui roulaient et gigotaient sous elle, un singe lança :

« Il n'y a qu'une panthère ici ! Tuez-la ! Tuez-la ! »

Une marée grouillante de singes qui mordaient, griffaient, lacéraient, arrachaient, engloutit Bagheera, pendant que cinq ou six autres s'emparaient de Mowgli : ils le hissèrent au sommet du pavillon d'été et, de là, le poussèrent dans le trou béant de la coupole effondrée. Un garçon élevé chez les hommes se serait affreusement estropié avec cette chute d'au moins cinq mètres ; mais Mowgli tomba comme Baloo le lui avait appris : il se reçut sur les pieds.

« Ne bouge pas de là ! crièrent les singes. On va d'abord massacrer tes amis ; après, on jouera avec toi… Si les Venimeux te laissent en vie.

— Vous et moi, du même sang nous sommes ! » dit Mowgli en lançant aussitôt l'Appel aux Serpents.

Il entendait bruire et siffler dans les gravats autour de lui et, pour être sûr, il répéta l'appel.

« Çççça ! par exzzzemple ! Capuchons bas, les amis ! dirent une demi-douzaine de voix discrètes. (Les ruines, en Inde, deviennent toutes, tôt ou tard, des nids à serpents et l'ancien pavillon d'été grouillait de cobras.) Reste tranquille, Petit Frère ! sinon, tu risques de nous faire mal avec tes pieds. »

Mowgli essaya de remuer le moins possible ; il épiait à travers les ajours du marbre l'assourdissant tumulte de la bataille autour de la Panthère Noire : hurlements, piailleries, bousculades, et le râle sourd et rauque de Bagheera qui reculait, s'arc-boutait, se tordait et plongeait sous la masse de ses ennemis. Pour la première fois de sa vie, Bagheera luttait contre la mort.

« Baloo ne doit pas être loin ; Bagheera ne serait pas venue seule », songea Mowgli ; puis il cria de toutes ses forces :

« Le bassin, Bagheera ! Roule jusqu'aux bassins ! Roule et plonge ! Va jusqu'à l'eau ! »

Bagheera entendit. Ce cri lui redonna courage : Mowgli était encore vivant ! Avec l'énergie du désespoir, centimètre par centimètre, la panthère se fraya un chemin, droit en direction des bassins, sans cesser de frapper en silence. Du côté du rempart en ruine, roula alors, comme un tonnerre, le cri de guerre de Baloo. Malgré tous ses efforts, le vieil Ours n'avait pu arriver plus tôt.

« Bagheera ! s'écria-t-il, je suis là ! Je grimpe ! Je me dépêche ! *Ahuwora !* Les pierres glissent sous mes pieds ! Vous allez voir, j'arrive, abominables *Bandar-log* ! »

A bout de souffle, il apparut sur la terrasse, pour disparaître aussitôt jusqu'au cou sous un déferlement de singes ; mais, solidement campé sur son arrière-train, il écarta ses pattes de devant, étreignit le plus grand nombre de singes et se mit alors à leur taper dessus au rythme d'un *bat-bat-bat* semblable à un battement d'aubes. Un *boum!* un *floc!* avertirent Mowgli que Bagheera avait enfin atteint le bassin, où les singes ne pouvaient la suivre. Couchée dans l'eau, la tête émergeant à peine, la Panthère suffoquait, tandis que les singes, postés par triples rangées sur les gradins rouges, trépignaient de rage, prêts à l'assaillir de tous côtés si Bagheera ressortait pour se porter au secours de Baloo. Alors, en désespoir de cause, la Panthère releva son menton ruisselant et lança l'Appel au Serpent : « Toi et moi, d'un même sang nous sommes! » – car elle croyait que Kaa leur avait fait faux bond à la dernière minute. Baloo lui-même, à moitié étouffé sous les singes au bord de la terrasse, ne put s'empêcher de ricaner en entendant la Panthère Noire appeler au secours.

Kaa avait enfin réussi à franchir le rempart ouest ; il atterrit avec une telle secousse qu'il en descella une partie du couronnement, qui vint rouler dans le fossé. Comptant profiter au maximum de l'avantage du terrain, il se lova et se déroula une ou deux fois pour s'assurer que chaque mètre de son corps interminable fonctionnait parfaitement. Entre-temps, le combat de Baloo continuait et les singes hurlaient toujours sur le bassin autour de Bagheera ; Mang, la Chauve-Souris, qui volait partout à travers la Jungle, répandit la nouvelle de cette grande bataille ; si bien que Hathi, l'Éléphant Sauvage, finit lui-même par barrir ; des bandes éparses de la Tribu des Singes, se réveillèrent, au loin, et volèrent, sur leurs chemins d'arbres, à la rescousse de leurs camarades des Tanières Froides ; le fracas du combat mit en émoi tous les oiseaux diurnes à des lieues à la ronde. Alors, comme un trait, surgit Kaa, pour tuer. La puissance du python au combat est dans le coup de massue qu'il assène de la tête, nourri de la force et du poids de son corps entier. Imaginez une lance, un bélier, un marteau de près d'une demi-tonne, dont le manche est habité par une intelligence froide et calme, et vous aurez à peu près l'image de Kaa au combat. Un python d'un mètre peut déjà renverser un homme pour peu qu'il le heurte en pleine poitrine ; or, Kaa, vous le savez, en mesurait dix. Il assena son premier coup au cœur de la mêlée qui enveloppait Baloo : un coup au but, décoché sans crier gare, en silence. Il n'eut pas à frapper deux fois : chez les singes, ce fut la débandade, aux cris de : « Kaa ! c'est Kaa ! Fuyez ! Fuyez ! »

Des générations entières de *Bandar-log* avaient appris à être sages en écoutant leurs aînés leur raconter les épouvantables histoires de Kaa, le voleur nocturne, qui glisse le long des branches sans qu'on l'entende plus qu'on entend pousser la mousse, et s'empare du singe le plus fort de tous les temps ; du vieux Kaa, qui sait si bien imiter la branche morte ou la souche pourrie que les plus malins s'y trompent, et soudain la branche les happe. Kaa était la grande frayeur des singes dans la Jungle, car aucun d'eux ne connaissait les limites de sa puissance, aucun ne pouvait soutenir son regard, aucun n'était jamais sorti vivant de son étreinte. Aussi prirent-ils la fuite, bégayant d'épouvante, vers les murs et les toits des maisons, et Baloo poussa un gros soupir de soulagement. Malgré sa fourrure, bien plus épaisse que celle de Bagheera, le combat l'avait durement éprouvé. Puis, pour la première fois,

Kaa ouvrit la bouche : il prononça un long mot sifflant et les singes qui accouraient des confins de la Jungle à la défense des Tanières Froides s'arrêtèrent net, recroquevillés sur place ; les branches surchargées ployaient, craquaient sous leur nombre. Les singes perchés sur les murs et les maisons abandonnées interrompirent leurs cris ; dans le silence qui tomba sur la ville, Mowgli entendit Bagheera sortir du bassin, s'ébrouer. Puis le tapage reprit de plus belle. Les singes sautèrent plus haut sur les murs, s'agrippèrent au cou des grandes divinités de pierre, sautillèrent le long des créneaux en poussant les hauts cris. Mowgli dansait dans le pavillon d'été. L'oreille collée au treillis de marbre, il fit chuinter l'air, comme un hibou, entre ses incisives en signe de dérision et de mépris.

« Sors le petit d'homme de ce piège ; je n'en peux plus, dit la Panthère pantelante. Récupérons le petit d'homme et filons. Ils risquent de repartir à l'attaque.

— Ils ne bougeront pas avant que je ne leur en donne l'ordre. Et toi non plus, ne bouge pas : Ressste là ! » siffla Kaa.

Et le silence retomba sur la ville.

« Je n'ai pas pu venir plus tôt, Mamie, mais j'ai cru t'entendre appeler…, ajouta Kaa à l'adresse de Bagheera.

— Je… j'ai peut-être… poussé un cri dans le feu de l'action, répondit Bagheera. Es-tu blessé, Baloo?

— Je me demande s'ils ne m'ont pas écartelé en cent petits oursons, dit Baloo, en secouant solennellement ses pattes l'une après l'autre. Aïe aïe aïe! j'ai mal partout. Kaa, je crois que tu nous as sauvé la vie… à Bagheera et à moi.

— C'est bien normal. Où est le bonhomme?

— Ici! dans un piège! Je ne peux pas me hisser hors du trou », cria Mowgli.

Le rond de la coupole effondrée lui arrivait bien au-dessus de la tête.

« Venez le chercher! Il court partout comme Mor, le Paon. Il va nous écraser nos petits, dirent les cobras du pavillon d'été.

— Ah! ah! dit Kaa avec un petit rire. Il a des amis partout, ce bonhomme. Recule-toi, bonhomme! Et vous, les Venimeux, mettez-vous à l'abri! Je défonce le mur. »

Kaa examina attentivement le marbre ajouré. Il finit par y trouver une fissure jaunâtre, révélant un point faible. Il donna deux ou trois petits coups de tête pour évaluer la distance, puis, soulevant de terre les deux premiers mètres de son corps, il assena à l'endroit précis, de plein fouet, le nez pointé, une demi-douzaine de coups de massue. Le pan d'entrelacs s'écroula en mille morceaux, dans un nuage de poussière et de gravats. Mowgli bondit par la brèche et se jeta entre Baloo et Bagheera, un bras passé de chaque côté autour des puissantes encolures.

« Es-tu blessé ? demanda Baloo en le serrant doucement contre lui.

— J'ai mal partout, j'ai faim, je suis complètement moulu ; mais, oh ! là ! là ! mes Frères, ils vous ont mis dans un triste état ! Vous saignez !

— On n'est pas les seuls, dit Bagheera en se léchant les lèvres, les yeux tournés vers l'hécatombe de singes qui jonchait la terrasse et le pourtour du bassin.

— Peu importe, peu importe, du moment que toi, ma petite grenouille, ma fierté, tu es sauf ! pleurnicha Baloo.

— Pour ça, on jugera plus tard, dit Bagheera d'un ton sec qui alarma Mowgli. Mais voici Kaa, à qui nous devons d'avoir remporté la victoire, et toi, d'avoir la vie sauve. Remercie-le conformément à nos traditions, Mowgli ! »

Mowgli se retourna et vit la tête du grand Python se balancer à trente centimètres au-dessus de la sienne.

« C'est donc ça le bonhomme ? dit Kaa. Il a la peau très douce et il n'est pas sans rappeler les *Bandar-log*. Prends garde, bonhomme, que je ne te prenne pour un singe, dans la pénombre de quelque crépuscule, quand j'aurai tout juste changé de livrée.

— Toi et moi, du même sang nous sommes, répondit Mowgli. C'est à toi, ce soir, que je dois la vie. Désormais, s'il t'arrive d'avoir faim, Kaa, ma proie sera la tienne.

— Mille mercis, Petit Frère, dit Kaa, non sans une petite lueur de malice au fond des yeux. Et que peut tuer un si hardi chasseur ? Il me plairait de suivre sa prochaine expédition.

— Moi, je ne tue rien... je suis trop petit... mais je rabats les chèvres pour ceux qui en ont l'emploi. Quand tu auras le ventre vide, viens me trouver et tu verras si je mens. Celles-ci ont quelque compétence (et il tendit les mains) et si jamais tu tombes dans un piège, je pourrai te payer de retour, ainsi que Bagheera et Baloo ici présents. Bonne chasse à vous tous, mes maîtres !

— Mes compliments », grogna Baloo, car Mowgli avait joliment tourné ses remerciements.

Le Python posa délicatement la tête sur l'épaule de Mowgli pendant quelques instants. « Cœur vaillant et belles manières, dit-il, te mèneront loin dans la Jungle, bonhomme. Mais, à présent, quitte ces lieux sans tarder, avec tes amis. Va dormir : la lune se couche et le spectacle qui va suivre n'est pas fait pour tes yeux. »

La lune sombrait derrière les collines. Les rangées de singes tremblants agglutinés sur les murs, sur les créneaux, ressemblaient aux mouvants contours d'une frise dépenaillée. Baloo descendit boire au bassin. Bagheera entreprit de remettre sa fourrure en état ; Kaa, lui, se coula jusqu'au centre de la terrasse : d'un claquement retentissant de ses mâchoires, il ramena sur lui tous les regards des singes.

« La lune se couche, dit-il. Y voit-on encore suffisamment ? »

Des remparts monta un gémissement comme le vent à la cime des arbres : « On y voit, Kaa.

— Bien. Et maintenant, place à la Danse !... la Danse de la Faim de Kaa. Ne bougez pas ! regardez ! »

Son corps décrivit deux ou trois fois un grand cercle, pendant que sa tête tissait l'air de droite à gauche ; puis il se mit à composer des boucles et des huit, des triangles souples et fluides qui se fondaient en carrés, en pentagones, en pyramides d'anneaux, toujours en mouvement, jamais précipité, dans le bourdonnement ininterrompu de son chant voilé. L'obscurité croissante vint noyer la masse mouvante des anneaux, mais on entendait toujours le bruissement des écailles.

Baloo et Bagheera, comme pétrifiés, les poils du cou hérissés, grondaient dans leur gorge ; Mowgli regardait, ébahi.

La voix de Kaa finit par retenir : « *Bandar-log*, pouvez-vous bouger main ou pied sans mon commandement ? Parlez !

— Sans ton commandement, ô Kaa, nous ne pouvons bouger ni main ni pied.

— Bien. Faites tous un pas vers moi. »

On vit aussitôt docilement s'avancer les lignes ondulantes des singes. Baloo et Bagheera, la patte raide, avancèrent d'un pas, en même temps que les singes.

« Plus près ! » siffla Kaa. Et tous se rapprochèrent.

Mowgli posa les mains sur Baloo et Bagheera pour les détourner : les deux animaux sursautèrent, comme au sortir d'un rêve.

« Laisse ta main sur mon épaule, murmura Bagheera. Ne l'ôte pas, sinon je repartirai, malgré moi, vers Kaa. Aah !

— Ce n'est rien : c'est Kaa qui virevolte dans la poussière, dit Mowgli ; partons ! »

Et les trois amis profitèrent d'une brèche dans les remparts pour s'éclipser dans la Jungle.

« Ouf ! lâcha Baloo, une fois revenu sous les arbres immobiles. Plus jamais je ne ferai alliance avec Kaa. »

Et il s'ébroua de la tête aux pieds.

« Il en sait plus long que nous, dit Bagheera,

qui tremblait encore. Quelques minutes, quelques pas de plus, et je disparaissais au fond de son gosier.

— Nombreux sont ceux qui en prendront le chemin avant le prochain clair de lune, dit Baloo. Il fera bonne chasse… à sa façon.

— Mais à quoi tout cela rimait-il? dit Mowgli, qui ignorait tout du pouvoir de fascination des pythons. Je n'ai vu qu'un gros serpent qui tournait en rond comme un idiot jusqu'à ce qu'il fasse nuit noire. Et il avait le nez tout cabossé. Hi! hi! hi!

— Mowgli, se fâcha Bagheera, s'il a le nez cabossé, c'est à cause de toi; et si j'ai moi-même été mordue aux oreilles, aux flancs et aux pattes, c'est aussi à cause de toi; et si Baloo l'a été au cou et aux épaules, c'est encore à cause de toi. Baloo et Bagheera devront attendre bien des jours avant de retrouver du plaisir à chasser!

— Ce n'est rien, dit Baloo; nous avons récupéré le petit d'homme.

— C'est exact. Mais il nous a coûté cher : en temps – on a sacrifié quelques bonnes parties de chasse; en blessures, en poils – j'ai l'échine à moitié tondue – et, enfin, en honneur. Car, n'oublie pas, Mowgli, que j'ai été obligée, moi, la Panthère Noire, d'appeler Kaa à l'aide et sa Danse de la Faim nous a hébétés, Baloo et moi, comme de vulgaires moineaux. Et tout ça, petit d'homme, parce que tu as joué avec les *Bandar-log*.

— Oui, c'est vrai, dit Mowgli, le cœur gros. Je suis un vilain petit d'homme et je me sens tout triste, là-dedans.

— Mouais… Que dit la Loi de la Jungle, Baloo? »

Baloo n'avait aucune envie d'aggraver le cas de Mowgli, mais il ne pouvait transiger avec la Loi. Aussi marmonna-t-il : « Cœur gros n'efface pas faute. Mais, rappelle-toi, Bagheera, il est tout petit encore.

— Je sais ; mais il a fait une bêtise : il faut maintenant qu'il soit battu. As-tu quelque chose à dire, Mowgli?

— Non, rien. J'ai fait une bêtise. Baloo et toi vous êtes blessés. Il est juste que je sois puni. »

Bagheera lui donna une demi-douzaine de petites tapes – des caresses, du point de vue d'une panthère (à peine si un bébé panthère en eût été réveillé), mais, pour un garçon de sept ans, ce fut une de ces monumentales raclées qu'on aimerait mieux ne pas recevoir. Après quoi, Mowgli éternua et se releva sans broncher.

« Allez! dit Bagheera, saute sur mon dos, Petit Frère, nous rentrons. »

La Loi de la Jungle a notamment ceci de magnifique que le châtiment y règle tous les comptes. Et il n'y a plus de chamailleries.

Mowgli coucha sa tête sur le dos de Bagheera et s'endormit si profondément qu'il ne se réveilla même pas, quand on le déposa chez lui, dans sa grotte aux loups.

Chanson de Route
des Bandar-log

Regardez-nous voler, en guirlande harmonieuse,
Jusques à mi-chemin de la lune furieuse!
N'enviez-vous pas nos troupes, nos bonds, nos jeux
[gamins?
N'avez-vous pas envie d'avoir plein d'autres mains?
Et pourquoi la Nature ne vous a pas fait don
De cette queue, comme un bel arc de Cupidon?
     Te voilà en colère, mais – peu importe!
     Ta queue, mon frère, par-derrière tu portes!

Regardez-nous penser, sur l'arbre, en rangs, bien
[sages,
Au merveilleux savoir où notre esprit voyage;
Rêver du grand projet qu'il faut qu'on exécute
De A à Z, sans faute, d'ici quelques minutes:
Une chose splendide que nous avons promise
Et qu'un simple souhait aussitôt réalise.
     Oublié nous avons, mais – peu importe!
     Ta queue, mon frère, par-derrière tu portes!

Tout ce que nos oreilles – de tout ce qui ressemble
A serpent, ours ou fauve, écaille ou bien plumage,
Poisson, chauve-souris, nageoire ou bien plumage –
Ont jamais pu glaner, dégoisons tout ensemble!
Parfait! Bravo! Encore! Et voilà que nous sommes,
Vous le reconnaîtrez, en tout pareils aux hommes!

Faisons semblant d'en être – et peu importe !
Ta queue, mon frère, par-derrière tu portes !

Rejoins-nous vite ! Notre troupe s'élance
De cime en cime, où la vigne sauvage,
Haute et légère, aux arbres se balance.
Ces détritus jonchant notre sillage,
Ce beau fracas qui sonne à tes oreilles,
Te disent bien que nous ferons merveille !

3

« Au tigre ! au tigre ! »

Et cette chasse, hardi veneur ?
Le long affût m'a donné froid, mon frère.
Et cette proie, vaillant chasseur ?
Le cerf viande encor dans la Jungle mon frère.
Où est de ta force l'honneur ?
Je sens dans mes flancs son reflux, mon frère.
Où est de ta course l'ardeur ?
Je pars, mon frère, mourir dans mon repaire.

Quand Mowgli quitta la grotte aux loups après sa bataille avec la Meute au Rocher du Conseil, il descendit jusqu'aux cultures des villageois, sans toutefois s'y arrêter : c'était encore trop près de la Jungle et il savait s'être fait au Conseil au moins un ennemi acharné. Aussi poursuivit-il sa course ; il suivit, à un petit trot soutenu, le chemin rocailleux qui courait dans la vallée. Au bout d'une trentaine de kilomètres, il parvint dans une contrée qu'il ne connaissait pas. La vallée s'ouvrait en une vaste plaine parsemée de rochers, entrecoupée de ravins. D'un côté, se trouvait un petit village ; à l'autre bout, la Jungle épaisse descendait en masse jusqu'aux pâtures, où elle s'arrêtait net, comme tranchée à la houe. Sur toute l'étendue de la plaine, paissaient buffles et vaches : les petits garçons qui les gardaient, dès qu'ils aperçurent Mowgli, s'enfuirent à grands cris. Les chiens jaunes qui rôdent en parias autour des villages indiens se mirent à aboyer. Mowgli, poussé par la faim, continua d'avancer. A l'entrée du village, il aperçut, repoussé sur le côté, le gros buisson d'épines que l'on tirait devant la barrière à la tombée de la nuit.

« Bah ! » lâcha-t-il, car il lui était souvent arrivé de se heurter à ce genre de barricades au cours de ses nuits d'errance, en quête de nourriture. « Alors, ici aussi, les hommes redoutent le Peuple de la Jungle. » Il s'assit près de la barrière. Dès qu'il vit quelqu'un sortir dans la rue, il se releva, ouvrit la bouche et indiqua du doigt son gosier, pour faire comprendre qu'il voulait à manger. L'homme écarquilla les yeux et remonta au pas de course l'unique rue du village en appelant le prêtre à tue-tête. Gros et gras, tout de blanc vêtu, une marque rouge et jaune peinte au front, le prêtre s'approcha de la barrière, suivi d'une bonne centaine de personnes qui criaient, jacassaient, dévisageaient Mowgli et le montraient du doigt.

« Quels malappris, ces hommes ! se dit Mowgli. Il n'y a que le singe gris pour être aussi grossier ! »

Il rejeta ses longs cheveux en arrière et se renfrogna.

« Il n'y a pas de quoi avoir peur, dit le prêtre. Vous avez vu les marques qu'il a aux bras et aux jambes ? Ce sont des morsures de loup. C'est un enfant-loup qui se sera échappé de la Jungle. »

Naturellement, en jouant avec Mowgli, les louveteaux l'avaient souvent mordillé plus fort que prévu : Mowgli en avait les bras et les jambes tout balafrés de cicatrices blanches. Mais jamais il ne les aurait qualifiées de morsures : il savait trop bien ce que mordre veut dire.

« *Arré ! arré !* s'exclamèrent en chœur deux ou trois femmes. Pauvre petit ! se faire mordre par des loups ! C'est un beau garçon. Il a comme du feu dans les yeux. Ma foi, Messua, il n'est pas sans rappeler le petit que le tigre t'a enlevé.

— Attendez que je regarde ! » dit une femme parée de lourds anneaux de cuivre aux poignets et aux chevilles.

La main en visière, elle examina Mowgli. « Ma foi, c'est vrai qu'il lui ressemble. Sauf qu'il est plus maigre, c'est mon petit tout craché. »

Le prêtre, habile homme, sachant Messua l'épouse du plus riche villageois, leva les yeux au ciel une minute, avant de proclamer : « Ce que la Jungle a pris, la Jungle l'a rendu ! Emmène le petit chez toi, ma sœur, et n'oublie pas d'honorer le prêtre qui voit si loin dans la vie des hommes. »

« Par le Taureau qui a servi à mon rachat,

se dit Mowgli, voilà une discussion qui ressemble furieusement à une nouvelle séance d'inspection par la Meute! Eh bien! si je suis homme, allons-y, homme je dois être! »

La femme fit signe à Mowgli de la suivre chez elle et la foule s'écarta. A l'intérieur de la hutte, il y avait un lit de laque rouge, une grosse jatte à grains en terre cuite, décorée de curieux bas-reliefs, une demi-douzaine de chaudrons de cuivre, une statue de dieu hindou dans une niche, et, accroché au mur, un vrai miroir, comme on en trouve pour huit sous dans les foires de campagne.

La femme donna à Mowgli un grand bol de lait et du pain. Puis, lui posant une main sur la tête, elle le regarda au fond des yeux : et si c'était son fils revenu de la Jungle où le tigre l'avait emporté?... Elle appela : « Nathoo, mon Nathoo! » Ce nom ne suscita aucune réaction chez Mowgli. « Tu ne te rappelles donc pas le jour où je t'ai donné tes chaussures neuves? » Elle lui toucha le pied : il était presque aussi dur que de la corne. « Non, se désola-t-elle, ces pieds n'ont jamais porté de chaussures; mais tu ressembles beaucoup à mon Nathoo et tu seras mon fils. »

Mowgli se sentait mal à l'aise, lui qui ne s'était jamais encore trouvé sous un toit. Mais un coup d'œil au chaume lui révéla qu'il pouvait l'éventrer dès qu'il voudrait se sauver. Rien, non plus, ne bloquait la fenêtre. « A quoi bon être un homme, se dit-il, si l'on ne comprend pas le langage des hommes ? Pour l'instant, je suis aussi niais et muet qu'un homme le serait chez nous, au milieu de la Jungle. Il faut que j'apprenne leur parler. »

Au temps où il vivait parmi les loups, ce n'était pas seulement par jeu qu'il avait appris à imiter le brame du cerf dans la Jungle et le grognement du marcassin. Aussi, dès que Messua prononçait un mot, Mowgli l'imitait-il presque à la perfection. Et, avant la nuit, il avait déjà appris le nom de bien des objets dans la hutte.

Un petit problème surgit au moment d'aller dormir : Mowgli refusa de coucher sous quelque chose qui ressemblait autant à un piège à panthère que cette hutte ; et, quand on ferma la porte, Mowgli ressortit par la fenêtre.

« Il faut le laisser faire, dit à Messua son mari. Souviens-toi qu'il n'a sans doute jamais dormi dans un lit. S'il nous est réellement envoyé pour remplacer notre fils, il ne s'enfuira pas. »

Mowgli alla s'étendre en bordure de champ sur un lit frais de hautes herbes. Mais il n'avait pas encore fermé les yeux qu'un doux museau gris se fourrait sous son menton.

« Pouah! lâcha Frère Gris (c'était l'aîné des fils de Mère Louve). Maigre récompense pour qui t'a suivi sur près de dix lieues... Tu sens le feu de bois, tu sens la vache : on jurerait un homme, déjà. Réveille-toi, Petit Frère ; il y a du neuf.

— Tout le monde va bien dans la Jungle? demanda Mowgli en lui donnant l'accolade.

— Oui, tout le monde, sauf les loups brûlés par la Fleur Rouge. Écoute : Shere Khan est reparti chasser loin de chez nous en attendant que sa fourrure repousse, car il a le poil plutôt roussi. Il jure qu'à son retour il t'allongera la carcasse au fond de la Waingunga.

— On est deux sur ce terrain! Moi aussi, de mon côté, j'ai fait une petite promesse. Mais c'est toujours un plaisir de recevoir des nouvelles. Ce soir, je suis fatigué – épuisé par tant de nouveautés, Frère Gris ; mais pense toujours à me tenir au courant !

— Tu n'oublieras pas que tu es un loup ? Les hommes ne te le feront pas oublier ? s'inquiéta Frère Gris.

— Jamais. Je n'oublierai jamais que je vous aime tous, toi et tous ceux de notre grotte. Mais je n'oublierai jamais non plus que j'ai été exclu de la Meute.

— Et que tu risques d'être exclu d'une autre meute encore. Les hommes ne sont que des hommes, Petit Frère ; ils bavardent comme des grenouilles dans une mare. La prochaine fois que je redescendrai jusqu'ici, je t'attendrai dans les bambous à la lisière du pacage. »

À partir de cette nuit-là, près de trois mois s'écoulèrent sans que Mowgli franchisse la barrière du village, tant l'absorbait son apprentissage chez les hommes. D'abord, il eut à porter un pagne, ce qui le gêna affreusement ; ensuite, il dut se familiariser avec l'argent, à quoi il ne comprenait goutte, ainsi qu'avec les travaux des champs, dont il ne voyait pas l'utilité. À leur tour, les gamins du village l'exaspérèrent. Heureusement, la Loi de la Jungle lui avait appris à ne jamais se mettre en colère, car, dans la Jungle, pour vivre et se nourrir, on doit savoir se maîtriser ; mais quand ils se moquaient de lui, parce qu'il refusait de jouer avec eux ou de lancer des cerfs-volants, ou parce qu'il prononçait un mot de travers, seul le retenait de les empoigner et de leur tordre le cou le sentiment qu'il n'était pas correct de tuer des bambins nus.

Il ne connaissait pas du tout sa force. Dans la Jungle, il se savait faible comparé à l'ours, aux fauves ; mais au village, on le disait fort comme un taureau.

En tout cas, la peur lui était totalement inconnue : à preuve, le jour où le prêtre du village l'avertit que, s'il mangeait ses mangues, le dieu du temple se fâcherait contre lui, Mowgli empoigna l'effigie, l'apporta chez le prêtre, qu'il invita à provoquer le courroux du dieu, avec qui il aurait plaisir à se battre. Ce fut un scandale épouvantable. Mais le prêtre l'étouffa et le mari de Messua sut apaiser le dieu avec plein de bel et bon argent.

Mowgli n'avait pas non plus la moindre idée des différences de caste entre les hommes. Quand l'âne du potier glissa dans l'argilière, Mowgli l'en retira par la queue, avant d'aider l'homme à empiler ses pots, destinés au marché de Khanhiwara. Nouveau scandale! le potier étant d'une caste inférieure, et son âne pis encore. Tancé par le prêtre, Mowgli menaça de le jucher, à son tour, sur l'âne. Le prêtre conseilla au mari de Messua de mettre de toute urgence l'enfant au travail. Le chef du village ordonna alors au garçon de sortir avec les buffles dès le lendemain et de les garder au pâturage. Mowgli était ravi. Et ce soir-là, parce qu'on l'avait engagé pour ainsi dire au service du village, il se joignit au groupe qui se réunissait tous les soirs sur une plate-forme en maçonnerie sous un figuier géant. C'était le club du village, où se retrouvaient, autour d'une pipe, le chef, le guetteur et le barbier, ainsi que le vieux Buldeo, le chasseur du village, qui possédait un mousquet de la Tour[1]. Les singes, eux, s'installaient plus haut dans l'arbre pour bavarder;

---

1. Aux abords de la Tour de Londres existaient de nombreuses manufactures d'armes. (*N.d.T.*)

dans un trou sous la plate-forme, vivait un cobra, qui avait droit tous les soirs à sa petite écuelle de lait, parce qu'il était sacré. Sous leur figuier, les vieux devisaient et tiraient sur leurs grands *huqas* (ou narguilés) jusqu'au cœur de la nuit. Ils racontaient des histoires fantastiques de dieux, d'hommes et de fantômes ; Buldeo en racontait d'encore plus fantastiques sur la vie des fauves de la Jungle ; les yeux des enfants assis à l'extérieur du cercle en sortaient de leurs orbites. C'était le plus souvent des histoires d'animaux, car ils avaient la Jungle constamment à leur porte. Daims et sangliers leur déterraient leurs récoltes et, de temps à autre, le tigre enlevait un homme au crépuscule, à deux pas du village.

Mowgli, naturellement, connaissait assez bien le sujet et devait se cacher la figure pour qu'on ne le voie pas rire, pendant que Buldeo, son mousquet de la Tour posé sur les cuisses, allait crescendo, de merveille en prodige ; les épaules de Mowgli étaient secouées par le rire.

Le tigre qui avait enlevé le fils de Messua, expliquait Buldeo, était un tigre fantôme, hanté par le spectre d'une vieille canaille d'usurier mort depuis plusieurs années. « Je sais que c'est vrai, dit-il, parce que Purun Dass boitait, depuis le coup qu'il avait reçu lors d'une échauffourée au cours de laquelle ses livres de compte avaient brûlé ; or, le tigre dont je parle boite, lui aussi : ses empreintes ne sont pas symétriques.

— C'est vrai, c'est vrai ; c'est sûrement ça, dirent les vieux birbes en hochant la tête en chœur.

— Vous ne savez donc rien raconter d'autre que ces contes bleus et coquecigrues ? demanda Mowgli. Tout le monde sait que ce tigre boite parce qu'il est né boiteux ! Parler de l'âme d'un usurier dans une bête plus veule encore qu'un chacal, quelles fariboles ! »

Buldeo en eut le souffle coupé pendant quelques instants et le chef du village ouvrait des yeux comme des soucoupes.

« Oh, oh ! c'est le loupiot de la Jungle, hein ? dit Buldeo. Toi qui es si malin, tu ferais mieux d'apporter sa peau à Khanhiwara : le gouvernement a promis cent roupies à quiconque le tuerait. Mais d'abord, quand ses aînés parlent, on se tait. »

Mowgli se leva pour partir : « J'ai passé la soirée à vous écouter, lança-t-il par-dessus son épaule, et, à part une fois ou deux, Buldeo n'a pas dit un mot de vrai sur la Jungle. Il l'a pourtant juste à sa porte ! Alors comment voulez-vous que je croie ses histoires de fantômes, de dieux et autres farfadets qu'il prétend avoir vus ?

— Il est grand temps que ce garçon aille garder les troupeaux », dit le chef du village, tandis que l'impertinence de Mowgli faisait s'étrangler Buldeo.

Dans la plupart des villages de l'Inde, il est d'usage que quelques garçonnets emmènent les vaches et les buffles paître dès l'aube et ne les ramènent qu'au soir. Et ces mêmes bestiaux qui piétineraient à mort un Blanc, se laissent taper et crier dessus par des enfants qui leur arrivent à peine au mufle. Tant qu'ils restent avec les troupeaux, les garçons sont en sécurité, car le tigre lui-même n'attaquera jamais du bétail en nombre. Mais s'ils s'écartent pour cueillir des fleurs ou faire la chasse aux lézards, il leur arrive d'être enlevés. Au point du jour, Mowgli descendit la rue du village, juché sur le dos de l'énorme Rama, le chef du troupeau ; un à un, les buffles ardoisés, aux longues cornes recourbées, aux yeux farouches, se levèrent pour sortir de l'étable et suivre Mowgli, qui signifia sans ambages à ses petits compagnons que le maître, c'était lui. Il frappait les buffles d'un long bambou parfaitement lisse et dit à Kamya, l'un des garçons, d'emmener les vaches paître séparément, pendant que lui-même conduirait les buffles plus loin, et de prendre garde de ne pas s'éloigner du troupeau.

Un pâturage indien n'est que rocaille, broussailles, grosses touffes et petites ravines, où les troupeaux s'égaillent et disparaissent. En général, les buffles ne s'éloignent guère des mares et des endroits bourbeux, où ils restent des heures entières couchés, vautrés dans la boue tiède. Mowgli les emmena jusqu'au fond de la plaine, où la Waingunga sort de la Jungle ; une fois rendu, il sauta du cou de Rama et trotta vers un bouquet de bambous, où il retrouva Frère Gris.

« Ah ! dit Frère Gris, voilà des jours et des jours que j'attends ici. Tu gardes les bêtes, maintenant ? Qu'est-ce que ça signifie ?

— C'est un ordre, dit Mowgli ; me voici pour un temps pâtre de village. Et Shere Khan ?

— Il est revenu par chez nous ; il t'y a attendu longtemps. Il est reparti maintenant, le gibier se faisant rare. Mais il veut te tuer.

— Très bien, dit Mowgli. En attendant, toi, ou l'un des quatre frères, installez-vous sur le rocher du bas, que je puisse vous apercevoir en sortant du village. Et dès que Shere Khan sera de retour, attendez-moi dans la ravine près de l'arbre *dhâk*, au milieu de la plaine. Inutile de se jeter dans la gueule du tigre. »

Sur ce, Mowgli choisit un endroit ombragé, où s'allonger et dormir, pendant que les buffles broutaient autour de lui. Garder les bêtes en Inde est l'une des tâches les plus nonchalantes qui soient. Les vaches avancent, ruminent, se couchent, avancent un peu plus loin ; elles ne mugissent même pas, mais se contentent de grogner ; quant aux buffles, il est rare qu'on les entende ; ils préfèrent descendre, à la queue leu leu, s'enfoncer dans les trous de boue, où seuls dépassent leurs mufles et de grands yeux bleus de faïence; puis, ils restent là, immobiles comme des bûches. Le soleil fait danser les rocs dans la chaleur; les petits bouviers entendent siffler un milan solitaire (jamais plus d'un), là-haut, au seuil de l'invisible, et savent que s'ils mouraient ou si une vache mourait, le milan fondrait droit sur eux; alors, le milan le plus proche, à plusieurs kilomètres, le voyant piquer, l'imiterait et ainsi de suite, de proche en proche, si bien qu'à peine seraient-ils morts, il y aurait déjà là vingt milans affamés surgis de nulle part. Les garçons dorment, se réveillent, se rendorment; ils tressent de petits paniers d'herbe sèche, y emprisonnent des sauterelles, capturent deux mantes religieuses qu'ils font se battre, font des colliers de baies de la Jungle rouges et noires, guettent le lézard qui se chauffe sur la roche ou le serpent à l'affût d'une grenouille près des bourbiers. Ils chantent aussi de longues, longues chansons qui s'achèvent en curieux trilles à la mode indigène, et la journée semble plus longue que toute une existence. Parfois, ils bâtissent un château de boue, peuplé de figurines d'hommes, de chevaux et de buffles, piquent

un roseau dans la main des hommes et les imaginent rois à la tête de leurs armées d'argile ou dieux voués à l'adoration. Quand vient enfin le soir, à l'appel des enfants, les buffles s'arrachent à la vase gluante avec un bruit de salves successives, avant de rejoindre, en longue file à travers la plaine grise, les lumières scintillantes du village.

Jour après jour, Mowgli conduisit les buffles à leurs bourbiers ; jour après jour, il vit l'échine de Frère Gris, à près d'une lieue, de l'autre côté de la plaine (il savait donc que Shere Khan n'était pas revenu) ; jour après jour, couché dans l'herbe, il écouta chanter l'espace autour de lui ; il rêvait aux jours anciens dans la Jungle. Dans le silence de ces longues matinées, Mowgli aurait entendu Shere Khan, au moindre faux pas du tigre boiteux dans les jungles de la Waingunga.

Un jour, enfin, il ne vit plus Frère Gris à l'endroit convenu ; il rit et entraîna les buffles vers le ravin proche de l'arbre *dhâk*, qui croulait sous les fleurs rouge safrané. Frère Gris était là, chaque poil du dos hérissé.

« Il se cache depuis un mois pour endormir ta vigilance. Hier soir, en compagnie de

Tabaqui, il a franchi les crêtes, à ta poursuite », dit le loup, haletant.

Le front de Mowgli se rembrunit :

« Shere Khan ne me fait pas peur, mais ce Tabaqui a plus d'un tour dans son sac...

— Ne t'en fais pas, dit Frère Gris, en se passant le bout de la langue sur les lèvres. J'ai croisé Tabaqui au lever du soleil. A présent, c'est aux milans qu'il fait part de sa science ; mais il m'a tout raconté, à moi, avant que je lui brise l'échine. Le plan de Shere Khan est de t'attendre à l'entrée du village ce soir : toi, et nul autre. Pour l'heure, il s'embusque au fond du grand ravin desséché de la Waingunga.

— A-t-il mangé aujourd'hui, ou bien chasse-t-il à jeun ? » demanda Mowgli. Car c'était pour lui une question de vie ou de mort.

« Il a tué à l'aube : un sanglier ; il a bu également. Souviens-toi que Shere Khan est incapable de jeûner, vengeance ou pas.

— Oh ! quel idiot ! mais quel idiot ! Un vrai gamin ! Il a mangé ! Et en plus, il a bu ! S'il croit que je vais attendre qu'il ait fini de dormir ! Dis-moi plutôt où il se cache. Si nous étions seulement dix, nous pourrions en venir à bout pendant qu'il est couché. Ces buffles ne chargeront pas sans l'avoir éventé et je ne connais pas leur langue. Et si nous le prenions à revers pour qu'ils puissent l'éventer?

— Pour couper sa voie, il a descendu la Waingunga à la nage sur une bonne distance, dit Frère Gris.

— C'est Tabaqui qui le lui aura soufflé, à tous les coups. Il n'y aurait jamais pensé tout seul. »

Mowgli réfléchit, un doigt dans la bouche :

« Le grand ravin de la Waingunga... Il débouche sur la plaine, à moins d'un kilomètre d'ici. Je peux faire passer le troupeau par la Jungle et rejoindre ainsi l'entrée du défilé, et, de là-haut, fondre sur lui... Mais il s'esquiverait par l'autre bout. Il nous faut absolument lui bloquer cette issue. Frère Gris, peux-tu me séparer mon troupeau en deux?

— Moi, peut-être pas... mais j'ai amené un précieux renfort. »

Frère Gris s'éloigna au petit trot et disparut dans un trou. D'où surgit bientôt une grosse tête grise que Mowgli connaissait bien. L'air brûlant retentit alors du cri le plus sinistre de toute la Jungle : le hurlement d'un loup qui chasse en plein midi.

« Akela! Akela! dit Mowgli en battant des mains. J'aurais dû deviner que tu ne m'oublierais pas. Ce n'est pas une mince besogne qui nous attend. Divise le troupeau en deux, Akela! Garde les mères et les veaux ensemble et sépare-les des taureaux et des buffles de labour. »

Le col renversé en arrière, les bêtes renâclaient : en zigzag, comme dans une farandole, les deux loups entraient et sortaient du troupeau, qui finit par se scinder en deux blocs. D'un côté, les bufflonnes, les yeux flamboyants, faisaient cercle en piaffant autour de leurs petits, prêtes, dès qu'un des loups s'immobiliserait, à charger et à le piétiner à mort. De l'autre, taureaux et taurillons renâclaient, trépignaient. Plus impressionnants que les mères, ils étaient toutefois moins dangereux, n'ayant pas de veaux à protéger. Six hommes n'auraient pas suffi à partager le troupeau avec autant de précision.

« Quel travail! lâcha Akela à bout de souffle. Ils essaient de se regrouper. »

En un tournemain, Mowgli enfourcha Rama.

« Éloigne les mâles à gauche, Akela! Et toi, Frère Gris, quand nous serons partis, empêche les mères de se débander et pousseles dans l'embouchure de la ravine.

— Jusqu'où? haleta Frère Gris, entre deux coups de mâchoire.

— Jusqu'à ce que les parois en soient trop hautes pour que Shere Khan puisse sauter, cria Mowgli; et attends avec elles en bas que nous soyons descendus. »

Aux aboiements d'Akela, les mâles détalèrent et Frère Gris se campa devant les mères. Elles le chargèrent; gardant une petite longueur d'avance sur elles, il courut jusqu'à l'embouchure du ravin, pendant qu'Akela éloignait les mâles sur la gauche.

« Bravo! Encore une charge et ils seront correctement lancés. Tout coi, maintenant! tout coi, Akela! Un coup de dent en trop, et les taureaux vont charger! *Huyah!* C'est pire que de traquer l'antilope! Tu savais ces lourdauds capables d'aller si vite? lança Mowgli.

— J'en ai... j'en ai chassé dans le temps, souffla Akela, étouffé par la poussière. Je les détourne dans la Jungle?

— Oui! Vas-y! Fais vite! Rama est fou

de rage. Oh! si je pouvais seulement lui faire comprendre ce que j'attends de lui aujourd'hui... »

Les mâles, rabattus à droite cette fois, foncèrent carrément dans le fourré. Les petits garçons, qui observaient la scène en compagnie des vaches, rentrèrent au village à toutes jambes, en hurlant que les buffles, pris de folie, s'étaient enfuis. Le plan de Mowgli était pourtant simple. Il cherchait seulement à remonter, en décrivant une grande boucle, jusqu'à l'entrée du ravin, pour y précipiter ensuite les mâles et prendre ainsi Shere Khan en tenaille entre les buffles et les bufflonnes. Car il savait qu'après avoir mangé et bu tout son soûl, Shere Khan ne serait assurément pas en état de se battre ou d'escalader les remparts du ravin. A présent, de la voix, Mowgli calmait les buffles. Akela, resté loin en arrière, se contentait de couiner de temps en temps pour presser l'arrière-garde. Ils décrivirent une longue, une très longue boucle, car ils ne voulaient pas longer le ravin et donner ainsi l'éveil à Shere Khan. Pour finir, Mowgli rassembla son troupeau hébété tout en haut du ravin, sur une pente herbeuse qui dévalait vers le fond du défilé. De là-haut, on voyait, par-dessus la cime des arbres, la plaine en contrebas ; mais Mowgli n'avait d'yeux que pour les parois de la gorge : il fut ravi de constater qu'elles étaient presque à la verticale tout du long et que les lierres et les lianes dont elles se tapissaient n'offriraient aucune prise à un tigre désireux de s'échapper.

« Laisse-les reprendre haleine, Akela, dit-il en levant la main. Ils ne l'ont pas encore éventé. Laisse-les reprendre haleine. Il faut que je m'annonce à Shere Khan, maintenant qu'il est pris au piège. »

Les mains en porte-voix, il lança un cri dans le défilé (c'était presque comme crier dans un tunnel) et l'écho se répercuta de roc en roc.

Au bout d'un long moment, lui revint le grondement endormi, traînant, du tigre repu qu'on réveille.

« Qui est-ce ? » dit Shere Khan.

Un paon magnifique s'enfuit du défilé à tire-d'aile, en criaillant.

« C'est moi, Mowgli ! Voleur de bétail, c'est

138

l'heure de venir au Rocher du Conseil! Vas-y, Akela! fais-les dégringoler! Allez, Rama, descends! descends! »

Le troupeau hésita une seconde au bord de la descente, mais Akela lança son plus beau cri de chasse et les buffles basculèrent les uns après les autres, comme des vapeurs franchissent des rapides, dans des gerbes de sable et de cailloux. Une fois lancés, ils ne s'arrêteraient plus. Ils n'étaient pas encore vraiment engagés dans le fond de la ravine, que Rama éventa Shere Khan et meugla.

« Ha! ha! dit Mowgli à califourchon sur le buffle. Tu sais, maintenant! »

Le torrent de cornes noires, de mufles écumants et d'yeux fous dévala le ravin comme un tourbillon, une crue charriant des blocs de pierre; les buffles les plus faibles, repoussés, bousculés, contre les parois de la gorge, fonçaient dans les lianes. Ils savaient ce qui leur restait à faire : l'effroyable charge du troupeau de buffles à laquelle nul tigre ne saurait résister. Shere Khan entendit le tonnerre de leurs sabots; il se remit sur pied et se traîna vers le bas du défilé en cherchant des yeux, à gauche, à droite, une issue. Mais les versants du ravin étaient raides : il lui fallut faire face. Avec tout ce qu'il avait dans le ventre, se battre était bien la dernière de ses envies. Au passage du troupeau, l'eau de la mare que le tigre venait de quitter gicla et l'étroit défilé résonna de ses beuglements. Mowgli entendit mugir en réponse à l'autre bout de la ravine et vit Shere Khan faire volte-face (le tigre savait qu'au pis-aller mieux valait encore affronter les mâles plutôt que les bufflonnes avec leurs petits); puis Rama broncha, trébucha, reprit sa course en piétinant quelque chose de mou et, talonné par les mâles, heurta de plein fouet l'autre troupeau : sous la violence du choc, les buffles les moins lourds furent soulevés de terre. Emportés par leur charge, les deux troupeaux se retrouvèrent dans la plaine, à donner de la voix, de la corne et du sabot. Mowgli attendit le moment propice pour se laisser glisser du cou de Rama. Armé de son bambou, il fit pleuvoir les coups.

« Vite, Akela! éparpille-les! Disperse-les, ou ils vont se battre. Chasse-les, Akela! *Hai*, Rama! *Hai! hai! hai*, mes enfants! Tout doux maintenant! tout doux! C'est fini. »

Akela et Frère Gris couraient partout en mordillant les buffles aux jarrets. Quand le troupeau pivota pour repartir à la charge dans la ravine, Mowgli réussit à détourner Rama et les autres suivirent leur chef vers les bourbiers.

Shere Khan avait eu son compte de sabots. Il était mort et les premiers milans venaient déjà.

« Il est mort comme un chien, mes frères, dit Mowgli en cherchant de la main le couteau qu'il portait toujours dans un étui autour du cou, depuis qu'il vivait chez les hommes. De toute façon, il ne se serait jamais battu. *Wallah!* sa peau fera joli sur le Rocher du Conseil. Et maintenant au travail, tout de suite! »

Jamais garçon élevé chez les hommes ne se serait imaginé capable de dépouiller seul un tigre long de plus de trois mètres. Mais Mowgli savait mieux que personne comment tient sur son corps la peau d'un animal et comment l'enlever. La tâche, toutefois, fut rude. Mowgli taillada, déchira, ahana une heure durant. Les loups laissaient pendre leur langue. Parfois ils s'approchaient pour tirer, selon ses instructions. Bientôt, une main tomba sur son épaule : il leva les yeux et reconnut Buldeo, armé de son mousquet de la Tour. Les enfants étaient allés raconter au village la fuite éperdue des buffles. Buldeo, fou de rage, s'était mis en route, impatient de châtier Mowgli pour sa négligence vis-à-vis du troupeau. Dès qu'ils avaient vu arriver l'homme, les loups s'étaient éclipsés.

« Tu es complètement fou ! pesta Buldeo. Tu te crois capable d'écorcher un tigre, maintenant ! Où les buffles l'ont-ils tué ? Et en plus, c'est le Tigre Boiteux ! Il y a cent roupies de récompense à qui le rapportera mort ! Tu as laissé le troupeau s'échapper, mais bon, d'accord, nous acceptons de fermer les yeux. Et peut-être accepterai-je de te donner une roupie de la récompense, une fois que j'aurai porté la peau à Khanhiwara. »

Il fouilla dans son pagne, en sortit son briquet à silex et se pencha pour flamber les moustaches de Shere Khan. La plupart des chasseurs indigènes brûlent la moustache du tigre pour empêcher son spectre de les hanter.

« Hem ! lâcha Mowgli à mi-voix, tout en retroussant la peau d'une patte de devant.

Comme ça, tu envisages de porter la peau à Khanhiwara pour toucher la récompense promise, et éventuellement de me donner une roupie? Mais moi, maintenant que j'y pense, j'ai besoin de la peau! Hep là! le vieux! retire ta flamme de là!

— C'est comme ça qu'on parle au meilleur chasseur du village? Tu l'as tué grâce à un heureux concours de circonstances et à la stupidité de tes buffles. Le tigre a le ventre plein; sinon, il serait déjà rendu à cinquante kilomètres! Tu ne sais même pas le dépouiller correctement, sale petit va-nu-pieds, et tu as l'audace de m'interdire, à moi, Buldeo, de lui griller la moustache! Mowgli, je ne te reverserai même pas un anna de la récompense; je te donnerai seulement une bonne raclée. Laisse cette carcasse tranquille!

— Par le Taureau qui a servi à mon rachat! dit Mowgli en s'attaquant à l'épaule, il faudrait que je passe mon après-midi à pérorer avec un vieux singe? Hé! Akela, viens par ici! cet homme m'embête! »

Buldeo, toujours penché au-dessus de la tête de Shere Khan, se retrouva affalé dans l'herbe, sous les pattes d'un loup gris. Mowgli continuait à écorcher son tigre comme s'il était tout seul en Inde.

« Ouiii…, dit-il entre ses dents. Tu as parfaitement raison, Buldeo. Tu ne me donneras jamais un seul anna de la récompense. Nous avions un vieux compte à régler, ce tigre boiteux et moi, oui, un très vieux compte et… c'est moi qui ai gagné. »

Il faut rendre justice à Buldeo : eût-il rencontré Akela dix ans plus tôt au coin du bois, il se serait affronté au loup ; mais un loup qui obéissait à un garçon en guerre personnelle avec des tigres mangeurs d'hommes n'était pas un animal ordinaire. C'était de la sorcellerie, de la magie de la pire espèce, se disait Buldeo ; l'amulette qu'il portait au cou suffirait-elle à le protéger ? Il ne bougea pas d'un cheveu ; il s'attendait à chaque instant à voir Mowgli se métamorphoser à son tour en tigre.

« Maharajah ! Grand Roi ! finit-il par murmurer, d'une voix rauque, étranglée.

— Oui », dit Mowgli, avec un petit ricanement. Il ne tourna même pas la tête.

« Je suis vieux. Je ne savais pas que tu étais autre chose qu'un petit vacher. Est-ce que je peux me lever et repartir, sans me faire massacrer par ton serviteur ?

— Tu peux partir. Va en paix. Seulement, la prochaine fois, évite de te mêler de mon gibier. Relâche-le, Akela. »

Clopin-clopant, Buldeo regagna le village aussi vite qu'il put ; il jetait par moments un coup d'œil par-dessus son épaule, pour voir si Mowgli ne se transformait pas en quelque monstre horrible. De retour au village, il raconta une longue histoire de magie, d'envoûtement, de sorcellerie. Et le prêtre prit un air gravissime.

Mowgli poursuivit son ouvrage. Le jour tombait déjà lorsqu'il réussit, avec l'aide des loups, à détacher tout entière du corps la grande peau bigarrée.

« Il nous faut maintenant la cacher et ramener les buffles ! Aide-moi, Akela, à les rassembler ! »

Le troupeau se regroupa dans la brume du crépuscule. Parvenu aux abords du village, Mowgli aperçut des feux et entendit mugir les conques, tinter les cloches du temple. La moitié du village semblait l'attendre à la barrière. « C'est parce que j'ai tué Shere Khan », se dit-il. Mais une grêle de pierres siffla à ses oreilles ; les villageois criaient :

« Sorcier ! Fils de loup ! Démon de la Jungle ! Va-t'en ! Hors d'ici, et vite, sinon le prêtre va te changer de nouveau en loup. Tire, Buldeo, tire ! »

Le vieux mousquet de la Tour partit d'un coup sec et un jeune buffle beugla de douleur.

« La preuve que c'est un sorcier ! s'écrièrent les villageois : il arrive à faire dévier les balles. Buldeo, c'était justement ton buffle !

— Mais que se passe-t-il ? dit Mowgli stupéfait, sous une grêle redoublée de pierres.

— Ils ne sont pas sans ressembler à la Meute, tes frères d'ici..., dit Akela, en s'asseyant tranquillement. A en juger par les balles, j'ai comme l'impression qu'on voudrait t'expulser.

— Loup ! fils de loup ! va-t'en ! hurla le prêtre en agitant un rameau de *tulsi* sacré.

— Ça recommence ? L'autre fois, c'est parce que j'étais homme. Cette fois, c'est parce que je suis loup. Allons-nous-en, Akela. »

Une femme éplorée (c'était Messua) s'élança vers le troupeau :

146

« Oh, mon fils! mon fils! ils disent que tu es un sorcier qui sait se changer en bête sauvage à volonté. Je n'en crois rien, mais va-t'en, ou ils vont te tuer! Buldeo raconte que tu es magicien, mais je sais, moi, que tu as vengé la mort de Nathoo.

— Reviens, Messua! hurla la foule. Reviens, ou on va te lapider! »

Mowgli eut un petit rire tordu : une pierre venait de l'atteindre à la bouche.

« Retourne vite, Messua. C'est encore de ces boniments qu'ils se racontent, le soir venu, sous le gros arbre. Au moins ai-je vengé la mort de ton fils. Adieu! et dépêche-toi, car je vais faire rentrer le troupeau plus vite que ne volent leurs projectiles! Non, Messua, je ne suis pas magicien. Adieu!

« Allez, une dernière fois, Akela, fais rentrer le troupeau! »

Les buffles étaient déjà assez impatients de rentrer au village, sans avoir besoin des hurlements d'Akela. Ils franchirent en trombe la barrière, au pas de charge. Et la foule, devant eux, s'égailla comme une volée de moineaux.

« Comptez-les! cria Mowgli avec mépris. J'en ai peut-être volé un! Comptez-les bien, parce que garder vos bestiaux, pour moi, c'est terminé! Adieu, fils des hommes, et remerciez Messua de ce que je n'entre pas chez vous avec mes loups pour vous courser d'un bout à l'autre de votre rue! »

Il pivota sur les talons et s'éloigna tranquillement en compagnie du Loup Solitaire. Il regarda les étoiles et se sentit heureux.

« Fini, pour moi, de coucher dans des pièges, Akela! Allons récupérer la peau de Shere Khan et allons-nous-en! Non, nous ne ferons pas de misères au village, car Messua a eu bon cœur. »

Quand la lune se leva sur la plaine et y répandit soudain une blancheur de lait, les villageois virent avec horreur Mowgli, deux loups sur les talons et un gros paquet sur la tête, s'éloigner à ce petit trot soutenu des loups qui dévore la distance, comme l'incendie. Et d'agiter alors de plus belle les cloches du temple et de souffler plus fort que jamais dans les conques. Messua pleura. Buldeo broda sur ses aventures dans la Jungle : il finit par raconter qu'Akela se tenait debout sur ses pattes de derrière et parlait comme un homme.

La lune allait se coucher quand Mowgli et les deux loups parvinrent à la butte du Rocher du Conseil ; ils firent halte à la grotte de Mère Louve.

« On m'a expulsé de la Meute des Hommes, maman, cria Mowgli, mais j'apporte la peau de Shere Khan, comme promis. »

Mère Louve, les pattes raides, sortit de la grotte, suivie de ses louveteaux. Ses yeux flamboyèrent lorsqu'elle aperçut la peau.

« Je l'avais prévenu, le jour où il a fourré la tête jusqu'aux épaules dans notre grotte et qu'il te pourchassait pour te tuer, ma petite grenouille – je l'avais prévenu que le chasseur se ferait un jour chasser. Tu as bien fait.

— Oui, bravo, Petit Frère, lança une voix grave dans les fourrés. On s'ennuyait sans toi dans la Jungle. »

Et Bagheera accourut aux pieds nus de Mowgli. Ils escaladèrent ensemble le Rocher du Conseil. Mowgli étendit la peau sur la pierre plate où Akela s'installait naguère ; il l'y fixa à l'aide de quatre piquets de bambous. Akela vint s'y coucher et lança le vieil appel à se rendre au Conseil : « Ouvrez les yeux ! Ouvrez les yeux, les Loups ! », tout

149

comme le jour où Mowgli y avait été amené pour la première fois.

Depuis la déposition d'Akela, la Meute, privée de chef, chassait et bataillait à sa guise. Mais, par la force de l'habitude, les loups répondirent à l'appel. Les uns, tombés dans quelque piège, boitaient ; d'autres, victimes d'un coup de feu, traînaient la patte ; d'autres encore, pour s'être nourris de n'importe quoi, avaient la gale ; beaucoup manquaient. Mais ce qui restait de la Meute vint au grand complet au Rocher du Conseil. Et là, étalée sur la pierre, ils virent la peau rayée de Shere Khan et les énormes griffes qui pendaient au bout des pieds ballants.

« Ouvrez les yeux, les Loups ! N'ai-je pas tenu parole ? » dit Mowgli.

Les loups acquiescèrent. Un loup pelé hurla :

« Sois de nouveau notre chef, Akela ! Et toi aussi, le petit d'homme ! car nous sommes las de cette anarchie et nous aspirons à redevenir le Peuple Libre.

— Non, ronronna Bagheera ; cela ne se peut. Dès que vous serez repus, la folie risque de vous ressaisir. Ce n'est pas pour rien qu'on vous appelle le Peuple Libre. Vous vous êtes battus pour la liberté : vous l'avez. Eh bien, mangez-la, maintenant !

— Rejeté par la Meute des Hommes, rejeté par celle des Loups, dorénavant je chasserai seul dans la Jungle, dit Mowgli.

— Nous chasserons avec toi », dirent les quatre louveteaux.

Et Mowgli s'en alla. A partir de ce jour, il chassa dans la Jungle en compagnie des quatre louveteaux. Toutefois, il ne resta pas tout le temps seul : bien des années plus tard, parvenu à l'âge d'homme, il se maria.

Mais c'est là une histoire pour les grandes personnes.

La Chanson de Mowgli

Telle qu'il la chanta au Rocher du Conseil
en dansant sur la peau de Shere Khan

La Chanson de Mowgli – c'est moi, Mowgli, qui chante.
Que la Jungle écoute ce que Mowgli a fait !

Shere Khan dit qu'il allait tuer – qu'il allait tuer ! A la
barrière, au crépuscule, il tuerait Mowgli, la Grenouille.

Il mangea. Il but. Bois tout ton soûl, Shere Khan :
quand, de nouveau, boiras-tu ? Dors ; rêve à cette
mise à mort.

Je suis seul dans les pâtures. Frère Gris, viens me voir !
Viens me voir, Loup Solitaire : je sens du gros gibier
dans les parages !

Fais avancer les buffles, les grands mâles à peau bleue,
aux yeux rageurs. Mène-les selon mes instructions.

Tu dors encore, Shere Khan ! Réveille-toi ! Oh ! Réveille-
toi ! J'arrive et les buffles me suivent.

Rama, le roi des buffles, frappa le sol du sabot. Eaux
de la Waingunga, dites-moi où donc s'en est allé
Shere Khan ?

Il n'est pas Sahi, pour disparaître sous terre, ni Mor
le Paon, pour voler dans les airs. Il n'est pas Mang,
la Chauve-Souris, pour se suspendre aux branches.
Petits bambous qui vous entrefroissez, dites-moi où
s'est enfui Shere Khan !

Ow ! il est là ! *Ahoo !* il est là. Le Boiteux gît sous les
sabots de Rama. Debout, Shere Khan ! Lève-toi et
tue ! Toute cette viande ! Brise l'échine aux buffles !

Chut! il dort. Nous ne le réveillerons pas, car immense est sa puissance. Les milans sont descendus pour la voir. Les fourmis noires sont montées pour la connaître. On accourt en l'honneur de Shere Khan.

Alala! Je n'ai rien pour me couvrir. Les milans verront que je suis nu. J'ai honte devant tous ces gens.

Prête-moi ta robe, Shere Khan. Prête-moi ta riante fourrure rayée, que je puisse me rendre au Rocher du Conseil.

Par le Taureau qui a servi à mon rachat, j'ai fait une promesse – une petite promesse. Seule me manque encore ta robe – et je l'aurai tenue.

Couteau en main – le couteau dont se servent les hommes –, le couteau du chasseur, je vais me baisser pour prendre possession de mon cadeau.

Eaux de la Waingunga, Shere Khan, tant il m'aime, me donne sa fourrure. Tire, Frère Gris! Tire, Akela! Lourde est la peau de Shere Khan.

La Meute des Hommes est courroucée. Ils jettent des pierres. Ils disent des bêtises. J'ai la bouche qui saigne. Fuyons!

Dans la nuit, la nuit chaude, courez vite avec moi, mes frères! Nous quitterons les feux du village, en direction de la lune basse.

Eaux de la Waingunga, la Meute des Hommes m'a rejeté. Je ne leur ai fait aucun mal : ils ont eu peur de moi. Pourquoi?

Meute des Loups, toi aussi, tu m'as rejeté. La Jungle m'est fermée; les portes du village me sont fermées. Pourquoi?

Comme Mang vole entre les fauves et les oiseaux, moi, je vole entre la Jungle et le village. Pourquoi?

Je danse sur la peau de Shere Khan, mais j'ai le
   cœur très lourd. Les pierres du village m'ont
   coupé, m'ont blessé à la bouche ; mais j'ai le
   cœur léger, car je suis de retour dans la Jungle.
   Pourquoi ?
Ces deux choses en moi se battent comme serpents
   au printemps. L'eau coule de mes yeux : et cependant je mêle à mes larmes des rires. Pourquoi ?
En moi sont deux Mowgli, mais j'ai, sous mes pieds,
   la peau de Shere Khan.
Toute la Jungle sait que j'ai tué Shere Khan. Ouvrez
   les yeux ! ouvrez les yeux, ô Loups !
Ahae ! mon cœur est lourd de tout ce qui m'échappe.

4

Le phoque blanc

Ne pleure pas, bébé ! Voici la nuit qui s'ouvre :
Déjà les flots noirs ont perdu leur vert scintillement.
Par-dessus les brisants, la lune enfin retrouve
Au creux bruissant des vagues, blottis, nos corps
                                    [ensommeillés.
Où les rouleaux se croisent est le doux oreiller
Offert, pauvre petit nageur, à ton délassement.
Ni grain ni squale ici ne vont te réveiller,
Bercé dans les doux bras des mers au long balancement !
                                    Berceuse pour Phoques.

Tout ceci s'est passé il y a plusieurs années,
en un lieu dénommé Novastoshnah, ou cap
Nord-Est, sur l'île Saint-Paul, loin là-bas, en
pleine mer de Béring. C'est Limmershin, le

Roitelet des Neiges, qui m'a raconté cette histoire après avoir été jeté par la bourrasque contre le gréement d'un vapeur en route pour le Japon : je l'avais alors recueilli, gardé dans ma cabine, réchauffé et nourri pendant deux ou trois jours, le temps qu'il fût en état de regagner Saint-Paul. Limmershin est vraiment un drôle de petit oiseau, mais il sait dire la vérité.

On ne vient à Novastoshnah que si l'on a quelque chose à y faire et seuls les phoques ont régulièrement affaire là-bas. Les mois d'été, par centaines de milliers, ils sortent de la mer froide et grise sur la plage de Novastoshnah ; car, pour les phoques, il n'est au monde de lieu plus hospitalier. Ours de Mer le savait : aussi, chaque printemps, où qu'il fût, filait-il – comme un torpilleur – droit sur Novastoshnah, où il passait un mois à se battre avec ses camarades pour conquérir une bonne place sur les rochers, le plus près possible de l'eau. A quinze ans, Ours de Mer était une énorme otarie à fourrure grise, parée d'une véritable crinière sur les épaules et pourvue de longues et féroces canines. Quand il prenait appui sur ses nageoires de devant, il arrivait à se soulever à plus d'un mètre du sol ; son poids (mais qui eût osé le peser ?) devait dépasser les trois cents kilos. Il était couvert de cicatrices de ses furieuses batailles, mais toujours prêt à en livrer une dernière. Il penchait alors la tête sur le côté, comme s'il craignait de regarder son ennemi en face ; puis, il la dardait comme l'éclair et, une fois ses grosses dents solidement plantées dans la nuque de son rival, celui-ci pouvait toujours essayer de se dégager : mais il ne fallait pas qu'il compte sur Ours de Mer pour l'aider. Toutefois, Ours de Mer n'attaquait jamais un phoque déjà vaincu : c'était contraire au Règlement de la Plage. Il voulait seulement pouvoir installer sa crèche près de la mer ; mais comme, chaque printemps, ils se retrouvaient quarante ou cinquante mille lancés dans la même recherche, sur la grève on entendait souffler, siffler, rugir, mugir de façon effroyable. Vu du haut de la petite butte dite d'Hutchinson, ce n'était que phoques en bataille sur plus d'une lieue à la ronde et les têtes des phoques qui se hâtaient vers la terre ferme pour prendre part au combat parsemaient le ressac. Ils se battaient dans les rouleaux ; ils se battaient sur le sable ; ils se battaient aussi sur les rochers de basalte poli des crèches, car ils étaient tout aussi stupides et peu accommodants que les hommes. Leurs femmes n'arrivaient sur l'île qu'à la fin de mai ou au début de juin ; car elles ne tenaient pas à se faire massacrer. Les jeunes phoques de deux, trois ou quatre ans, qui n'avaient pas encore fondé de foyer, rompaient les rangs des combattants pour s'enfoncer de quelques centaines de mètres à l'intérieur de l'île et batifoler dans les dunes en bandes innombrables : ils n'y laissaient rien de vert derrière eux. On les appelait des holluschickies (les célibataires) ; à elle seule, Novastoshnah en comptait entre deux et trois cent mille.

Ours de Mer venait de conclure son quarante-cinquième combat ce printemps-là, lorsque Matkah, sa douce et lisse épouse aux yeux tendres, émergea des flots : il l'attrapa par la peau du cou, la déposa rudement sur son emplacement et bougonna :

« En retard, comme d'habitude. Je me demande bien où tu étais encore passée. »

Il n'entrait pas dans les habitudes d'Ours

de Mer de manger pendant les quatre mois de son séjour sur les plages ; aussi était-il en général d'une humeur exécrable. Matkah se garda bien de répondre. Elle promena les yeux autour d'elle et roucoula :

« Comme c'est gentil ! Tu as pensé à reprendre notre ancien emplacement !

— Et comment ! dit Ours de Mer. Tu m'as vu ? »

Couvert de coups de griffes et de plaies, il avait un œil à moitié crevé et les flancs en lambeaux.

« Oh ! ces hommes, ces hommes…, dit Matkah en s'éventant de sa nageoire postérieure. Vous ne pouvez pas être un peu raisonnables et convenir de vos emplacements par des voies pacifiques ? On jurerait que tu t'es battu avec l'Orque Épaulard.

— Depuis la mi-mai, je passe ma vie à me battre. La plage est scandaleusement surpeuplée, cette saison. J'ai croisé au moins une centaine de phoques de la plage de Lukannon, qui cherchaient à se loger. Les gens ne peuvent donc pas rester chez eux !

— J'ai souvent pensé que nous serions bien plus heureux si nous prenions terre à l'île aux Loutres, au lieu de nous entasser ici, dit Matkah.

— Pouah! seuls les holluschickies vont à l'île aux Loutres. Si nous allions là-bas, on raconterait que nous avons peur. De quoi aurait-on l'air, je te le demande, ma chère? »

Ours de Mer enfouit la tête fièrement dans ses rondes épaules et fit mine de dormir pendant quelques minutes, sans jamais cesser de guetter, en fait, l'occasion d'en découdre. A présent que tous les phoques et leurs compagnes étaient à terre, leur vacarme s'entendait jusqu'au large, même lors des plus bruyantes tempêtes. Au bas mot, la plage comptait plus d'un million de phoques : des adultes, des mamans phoques, de tout petits bébés phoques et des holluschickies, qui se battaient, se bousculaient, bêlaient, rampaient, jouaient ensemble ; ils entraient et sortaient des flots par bandes, par régiments entiers, jonchaient le sol à perte de vue et partaient en brigades se livrer, dans le brouillard, à d'incessantes escarmouches. Novastoshnah est presque tout le temps dans le brouillard, sauf quand le soleil arrive à percer et moire tout, pendant quelques instants, de nacre et d'arc-en-ciel.

Kotick, le bébé de Matkah, vit le jour au milieu de ce tohu-bohu ; comme tout phoque nouveau-né, il était tout en tête et en épaules, avec des yeux d'un bleu pâle, délavé. Mais son pelage avait quelque chose qui poussa sa mère à l'examiner de plus près.

« Ours de Mer, finit-elle par dire, notre petit va être blanc !

— Algues sèches et berniques vides ! renâcla Ours de Mer. Tu as déjà entendu parler d'un phoque blanc, toi ?

— Je n'y peux rien, dit Matkah ; désormais, il y en aura un. »

Et elle fredonna la chanson douce que toutes les mamans phoques chantent à leurs petits :

Ne nage pas avant six s'maines,
Sinon tes pieds ta tête entraînent.
Du grain d'été et des grands orques
Méfie-toi bien, p'tit bébé phoque.

Méfie-t'en bien, p'tit bébé phoque !
Mais n'aie pas peur, car avec l'âge
P'tit barboteur deviendra fort,
Enfant du Grand, du Très Grand Large !

Évidemment, le petit phoque ne comprit pas tout de suite les paroles. Il grattouillait, il patouillait à côté de sa mère; il apprit aussi à dégager la piste quand son père se battait avec un autre phoque, qu'ils roulaient tous deux en rugissant sans fin sur les rochers glissants. Matkah partait en mer chercher à manger; le bébé n'était nourri qu'un jour sur deux, mais, ce jour-là, il se rattrapait. Il grossissait à vue d'œil. Pour commencer, il rampa vers l'intérieur de l'île, où il rencontra, par dizaines de milliers, des bébés de son âge. Ils jouaient ensemble comme des chiots, s'endormaient sur le sable propre et reprenaient leurs jeux. Les adultes dans les crèches ne s'en occupaient pas; quant aux holluschickies, ils avaient leur propre territoire; aussi les bébés s'en donnaient-ils à cœur joie. Quand Matkah rentrait de sa pêche en haute mer, elle se rendait directement au terrain de jeux des petits, appelait Kotick en bêlant comme une brebis, et attendait qu'il bêlât à son tour. Elle partait alors, droit dans sa direction, et, à grands coups de nageoire antérieure, culbutait tous les jeunes sur son chemin. Il y avait toujours plusieurs centaines de mères à la recherche de leur progéniture à travers les terrains de jeux et les bébés étaient toujours sur le qui-vive ; mais, comme Matkah le dit à Kotick : « Tant que tu n'attrapes pas la gale à patauger dans l'eau boueuse ou que tu ne fais pas entrer de sable dans une coupure ou une égratignure, et tant que tu ne vas pas nager quand la mer est houleuse, tu ne cours aucun danger ici. »

Les petits phoques ne savent pas davantage nager que les petits enfants ; mais ils ne sont pas heureux avant d'avoir appris. La première fois que Kotick descendit jusqu'à la mer, une vague l'emporta où il n'avait plus pied : sa grosse tête coula et il se retrouva avec ses petites nageoires en l'air, exactement comme sa mère le lui avait dit dans la chanson ; et si la vague suivante ne l'avait pas rejeté sur le rivage, il se serait noyé. Après cette mésaventure, il apprit, couché dans une flaque de la grève, à se laisser recouvrir et soulever par le ressac juste assez pour pouvoir pagayer, tout en guettant du coin de l'œil les lames menaçantes. Il mit deux semaines à maîtriser l'usage de ses nageoires ; période de navette incessante entre la mer et le rivage : il gigotait, toussait, grognait, revenait sur la plage en rampant, faisait un petit somme sur le sable et retournait dans l'eau, jusqu'à ce qu'il s'y sentît enfin vraiment dans son élément. Dès lors, imaginez un peu les parties de plaisir avec les camarades! Il plongeait sous les rouleaux; il chevauchait la crête d'une déferlante qui le déposait sur le sable dans une gerbe d'écume retentissante, avant de tournoyer jusqu'en haut de la plage; dressé sur la queue, il se grattait la tête comme un adulte, il jouait à chat perché sur les brisants affleurant à marée basse, couverts d'algues et glissants. Parfois, il apercevait le tranchant d'un aileron comme celui d'un gros requin, longeant discrètement le rivage : et il savait que c'était l'Orque Épaulard qui dévore les jeunes phoques… quand il réussit à en attraper. Alors Kotick regagnait la plage comme une flèche et l'aileron sautillant s'éloignait lentement, comme s'il se promenait.

A la fin d'octobre, les phoques commencèrent à quitter Saint-Paul pour la haute mer, par familles, par tribus entières. La bataille pour les crèches cessa et les holluschickies purent jouer n'importe où.

« L'année prochaine, dit Matkah à Kotick, tu seras un holluschickie ; mais cette année, il faut que tu apprennes à pêcher. »

Et les voilà partis tous les deux à travers le Pacifique. Matkah montra à Kotick comment dormir sur le dos, les nageoires ramenées sous les flancs, de façon à n'avoir que le bout du nez dehors. Il n'est berceau plus confortable que cette houle du Pacifique au long balancement. Quand Kotick sentit sa peau le démanger de partout, Matkah lui expliqua qu'il apprenait à « sentir l'eau », que ces picotements et chatouillements présageaient du gros temps : il fallait alors nager dur pour échapper à la tempête.

« Bientôt, dit-elle, tu sauras vers où nager ; mais, pour le moment, nous allons suivre Cochon de Mer, car c'est un sage. »

Un banc de marsouins, entre deux plongeons, fendaient les flots ; le petit Kotick fit de son mieux pour les suivre.

« Comment savez-vous où aller ? » demanda-t-il, hors d'haleine.

Le chef du banc roula son œil blanc et plongea :

« J'ai la queue qui me démange, mon

petit, dit-il. C'est signe de grain derrière nous. Viens donc! Quand tu es au sud des Eaux Poisseuses (il voulait parler de l'Équateur) et que ta queue te picote, c'est signe de grain par-devant : il faut tout de suite remonter au nord. Viens donc! L'eau que je sens par ici ne me dit rien qui vaille. »

Voilà un exemple, entre mille, de ce qu'apprit Kotick. Chaque jour, il en apprenait davantage. Matkah lui montra comment suivre la morue et le flétan sur les hauts-fonds; à extirper la motelle de son trou parmi le goémon; à frôler les épaves gisant par cent brasses de fond; à foncer par un hublot, comme une balle de fusil, pour en ressortir par un autre, dans une volée de poissons; à danser à la crête des vagues quand l'éclair galopait dans le ciel; à saluer poliment de la nageoire l'Albatros à queue tronquée et l'Aigle de Mer portés par le vent; à bondir comme un dauphin à plus d'un mètre en l'air, les nageoires collées au corps et la queue en arc de cercle; à laisser les poissons volants tranquilles parce qu'ils n'ont que des arêtes; à fondre sur une morue, par dix brasses sous la mer, pour, au passage, lui happer l'épaule ; à ne jamais s'arrêter pour regarder bateau, navire, ni surtout canot à rames. Au bout de six mois, Kotick n'ignorait plus rien de ce qu'il convient de savoir sur la pêche en haute mer. Ces six mois s'écoulèrent sans qu'il pose une seule fois nageoire à terre.

Un jour, pourtant, alors qu'il somnolait dans les eaux tièdes qui baignent l'île Juan Fernandez, il fut saisi de langueur, à l'instar des hommes, dont le printemps coupe les jambes ; il se remémora alors les belles plages fermes de Novastoshnah, à plus de dix mille kilomètres de là ; les jeux de ses compagnons ; l'odeur du varech ; le rugissement des phoques et leurs batailles. Il mit immédiatement le cap au nord et nagea sans faiblir. Chemin faisant, il retrouva des dizaines et des dizaines de ses semblables, tous en route pour le même lieu, qui lui dirent :

« Salut, Kotick ! Cette année, nous sommes tous des holluschickies et nous pouvons danser la Danse du Feu dans les rouleaux au large de Lukannon et jouer dans l'herbe neuve. Mais d'où tiens-tu ce pelage ? »

La fourrure de Kotick était devenue

presque entièrement blanche ; bien qu'il en fût très fier, il se contenta de dire :

« Nagez vite ! J'ai dans tous mes os la nostalgie de la terre ! »

Bientôt, ils étaient tous de retour sur leurs plages natales, où ils entendirent les vieux phoques, leurs pères, se battre dans les volutes de la brume.

Cette nuit-là, Kotick dansa la Danse du Feu avec les jeunes de l'année. Les nuits d'été, de Novastoshnah à Lukannon, la mer fourmille de feu : chaque phoque laisse derrière lui comme un sillage d'huile embrasée et l'éclat d'un éclair à chaque bond. Et les lames se brisent en longues traînées et grands remous phosphorescents. Puis ils s'enfoncèrent dans les terres, jusqu'aux terrains des holluschickies, se roulèrent partout dans le jeune blé sauvage et se racontèrent les aventures de leur périple en haute mer. Ils parlaient du Pacifique comme des petits garçons le feraient du bois où ils seraient allés aux noisettes et si un homme avait compris leur langage, il aurait pu, de retour chez lui, dresser de cet océan la carte la plus précise de tous les temps. Les holluschickies de trois et quatre ans déboulèrent de la butte d'Hutchinson aux cris de :

« Hors d'ici, la marmaille ! La mer est profonde et vous êtes loin de savoir encore tout ce qu'elle recèle. Attendez d'avoir doublé le cap Horn. Eh ! toi, le jeunot, où as-tu trouvé ce manteau blanc ?

— Je ne l'ai pas trouvé, dit Kotick, il a poussé tout seul. »

Mais, au moment même où Kotick s'apprêtait à culbuter son interpellateur, deux hommes aux cheveux noirs et à la face rouge et plate surgirent de derrière une dune : Kotick, qui n'avait encore jamais vu d'homme, toussa et baissa la tête. Les holluschickies se contentèrent de se pousser un peu plus loin, où ils restèrent à les regarder bêtement. Les deux hommes n'étaient autres que Kerick Booterin, le chef des chasseurs de phoques sur l'île, et son fils, Patalamon. Venus du hameau situé à moins d'un kilomètre de la colonie de phoques, ils étaient en train de choisir les bêtes qu'ils allaient pousser vers les parcs d'abattage (car on pousse les phoques exactement comme des moutons), avant de les transformer en vestes de peau.

« Oh! dit Patalamon. Regarde! Un phoque blanc! »

Kerick Booterin en devint presque blanc sous l'huile et la fumée (il était originaire des îles Aléoutiennes; or, les Aléoutes ne sont pas des gens propres). Il marmonna aussitôt une prière.

« N'y touche pas, Patalamon! Il n'y a jamais eu de phoque blanc depuis que je suis né. C'est peut-être le fantôme du vieux Zaharrof, qui a disparu au cours de la grosse tempête de l'année dernière.

— Je ne vais certainement pas m'en approcher, dit Patalamon. Il porte malheur. Tu crois vraiment que c'est le vieux Zaharrof qui est revenu? Je lui dois encore plusieurs œufs de mouette.

— Ne le regarde pas! dit Kerick. Fais-moi partir tout ce troupeau de quatre ans. Les gars devraient en dépouiller deux cents aujourd'hui, mais la saison ne fait que commencer et ils ne sont pas encore rodés : avec cent, ça suffira. Dépêche-toi! »

Patalamon frotta l'une contre l'autre deux omoplates de phoque sous le nez du troupeau de holluschickies, qui s'arrêta net en

171

soufflant bruyamment. Il s'approcha : les phoques s'ébranlèrent ; Kerick les rabattit dans les terres, sans jamais qu'ils essaient de rejoindre leurs compagnons. Plusieurs centaines de milliers de phoques assistèrent à la battue, tout en continuant de jouer, comme si de rien n'était. Kotick fut le seul à poser des questions : aucun de ses camarades ne put lui fournir le moindre éclaircissement, sauf que, pendant un mois et demi ou deux chaque année, les hommes venaient ainsi traquer les phoques.

« Je vais les suivre », dit-il. Il se traîna courageusement dans le sillage du troupeau ; on aurait dit que les yeux allaient lui sortir de la tête.

« Le phoque blanc nous poursuit ! s'écria Patalamon. C'est la première fois qu'un phoque vient de lui-même aux terrains d'abattage !

— Chut ! Ne te retourne pas ! dit Kerick. C'est le fantôme de Zaharrof, j'en suis certain maintenant. Il faut que j'en parle au prêtre. »

Ils mirent une heure à parcourir les cinq cents mètres qui les séparaient du terrain d'abattage : car, si les phoques forçaient l'allure, Kerick savait qu'ils s'échaufferaient, avec pour résultat qu'au moment de les dépouiller, la peau viendrait par plaques. Aussi se déplacèrent-ils très lentement ; passé le Cou-du-Lion-de-Mer, passé le relais de Webster, ils arrivèrent enfin à la hauteur du Saloir, situé juste hors de vue des phoques de la plage. Perplexe et pantelant, Kotick suivait. Il se croyait rendu au bout du monde, mais le vacarme de la colonie de phoques derrière lui ressemblait au fracas d'un train dans un tunnel. Enfin, Kerick s'assit sur de la mousse ; il sortit une grosse montre en étain et laissa le troupeau refroidir pendant une demi-heure ; Kotick entendait la rosée du brouillard goutter du bord de sa casquette. On vit ensuite s'approcher une douzaine d'hommes, armés chacun d'une matraque à bout ferré, longue d'environ un mètre. Kerick leur désigna du doigt un ou deux animaux mordus par leurs compagnons ou trop échauffés ; à coups de bottes (de grosses bottes de peau en gosier de morse), les hommes les écartèrent, puis Kerick lança : « Allons-y ! »

Les hommes matraquèrent les phoques, à

tour de bras, sur le crâne. Dix minutes plus tard, le petit Kotick était incapable de reconnaître ses amis : les peaux, décollées en un tournemain, du nez jusqu'aux nageoires postérieures, furent aussi vite arrachées et empilées par terre. Kotick en avait assez vu : il fit demi-tour pour reprendre au galop (les phoques peuvent galoper très vite pendant quelques instants) le chemin de la mer, sa petite moustache naissante tout hérissée d'horreur. Au Cou-du-Lion, où les énormes lions de mer restent juste au bord du ressac, il se jeta, les nageoires par-dessus la tête, dans l'eau fraîche et s'y laissa bercer, à bout de souffle, abattu.

« C'est quoi, ça? » bougonna un lion de mer.

Car, en général, les lions de mer font bande à part.

« *Scoochnie! Ochen scoochnie!* (« Je suis seul! oh! tellement seul! »), dit Kotick. Ils sont en train de tuer tous les holluschickies partout sur toutes les plages! »

Le Lion de Mer tourna la tête vers la grève.

« Qu'est-ce que tu racontes? dit-il; tes

amis font toujours autant de raffut! T'as dû voir le vieux Kerick liquider un troupeau. Il fait ça depuis trente ans.

— C'est horrible! » dit Kotick.

Aussitôt, submergé par une lame, il rama à contre-courant et rétablit l'équilibre d'un grand coup vrillé de ses nageoires, qui le fit se dresser à moins de dix centimètres de l'éperon d'un rocher.

« Pas mal pour un jeunot d'un an! dit le lion de mer, fin connaisseur. De votre point de vue, c'est plutôt abominable, je le conçois. Mais si vous autres, les phoques, vous persistez à venir ici d'année en année, les hommes finissent évidemment par le savoir et, à moins de trouver une île où l'homme ne va jamais, vous vous ferez éternellement pourchasser.

— Pareille île n'existe-t-elle pas? reprit Kotick.

— Voici vingt ans que je suis le *poltoos* (le flétan) et je mentirais si je te disais l'avoir trouvée. Mais écoute... puisque tu m'as l'air d'aimer t'adresser à tes supérieurs... : si tu allais à l'île aux Morses parler à Morsevitch? Peut-être sait-il quelque chose, lui. Mais tu n'as pas besoin de partir tête baissée! Tu en as pour dix bons kilomètres à la nage et si j'étais toi, mon bonhomme, j'irais à terre faire un petit somme auparavant. »

Kotick jugea le conseil excellent; il rejoignit donc sa propre plage, sortit de l'eau et dormit une demi-heure, le corps parcouru d'incessants tressaillements, comme tous les phoques. Après quoi, il mit le cap sur l'île aux Morses : îlot rocheux bas et plat, situé presque exactement au nord-est de Novastoshnah, tout en corniches de pierre et nids de mouettes, où les morses vivaient à l'écart en troupeau.

Il prit terre à deux pas du vieux Morsevitch, le gros morse à pustules du Pacifique Nord, bouffi et laid, au cou gras et aux longues défenses, qui n'est poli que quand il dort; et, en l'occurrence, il dormait, les nageoires postérieures trempant à moitié dans les vagues.

« Réveille-toi! aboya Kotick, pour couvrir le tapage des mouettes.

— Ah! oh! Hmph! Qu'est-ce que c'est? » dit Morsevitch.

D'un bon coup de défense, il réveilla le morse d'à côté, qui en fit autant avec son voisin, et ainsi de suite, jusqu'à ce qu'ils soient tous réveillés, écarquillant les yeux dans toutes les directions, sauf la bonne.

« Coucou ! c'est moi ! » dit Kotick.

Il avait l'air d'une petite limace blanche ballottée dans l'écume.

« Par exemple ! Je veux bien être... écorché vif ! » lâcha Morsevitch.

Tous reportèrent alors les yeux sur Kotick, comme un club de vieux messieurs somnolents toisant un petit garçon. Kotick n'avait pas vraiment envie d'entendre reparler d'écorchement ; il en avait déjà bien assez vu. Il lança donc :

« N'y a-t-il pas un endroit où puissent aller les phoques et où les hommes ne mettent jamais les pieds ?

— Tu n'as qu'à chercher toi-même, maugréa Morsevitch en refermant les yeux. Déguerpis. On a autre chose à faire. »

Kotick exécuta en l'air sa pirouette de dauphin et cria à tue-tête :

« Croque-berniques ! Croque-berniques ! »

Il savait que Morsevitch n'avait jamais attrapé un seul poisson de sa vie, mais passait son temps, malgré ses airs de matamore, à dénicher des mollusques et des algues. Naturellement, les Chickies, Gooverooskies, Epatkas, Mouettes Bourgmestres, Mouettes tridactyles et Macareux, qui ne ratent jamais une occasion de faire les insolents, reprirent le mot, et, aux dires de Limmershin, pendant cinq minutes, sur l'île aux Morses, le vacarme fut tel qu'on n'y aurait même pas entendu tirer le canon. Toute la population piaulait, piaillait : « Croque-berniques ! *Stareek !* (vieux birbe !) », tandis que Morsevitch bringuebalait, grognait, toussait.

« Alors, tu parles maintenant ? dit Kotick à bout de souffle.

— Va demander à Veau de Mer ! dit Morsevitch. S'il est encore en vie, il pourra t'en parler.

— Et à quoi reconnaîtrai-je Veau de Mer ? dit Kotick en prenant le large.

— A part Morsevitch, il n'y a pas plus laid en mer ! cria une Mouette Bourgmestre en tournoyant sous le nez de Morsevitch. Plus laid et plus mal élevé ! *Stareek !* »

Kotick laissa les mouettes à leurs criailleries et s'en revint à Novastoshnah. Une fois de retour, il constata que sa modeste tentative pour découvrir un endroit où les phoques seraient en paix n'intéressait personne. On lui dit que les hommes avaient toujours fait des battues aux holluschickies ; c'était dans la nature des choses et s'il lui déplaisait de voir des horreurs, il n'avait qu'à ne pas aller aux parcs d'abattage. Mais aucun des autres phoques n'avait assisté au massacre : c'était bien là toute la différence. En outre, Kotick était un phoque blanc.

« Ce que tu dois faire, dit le vieil Ours de Mer, après avoir entendu les aventures de son fils, c'est grandir pour devenir un grand phoque comme ton père et avoir ta propre crèche sur la plage : à ce moment-là, ils te laisseront tranquille. D'ici à cinq ans, tu devrais pouvoir te défendre tout seul. »

Même sa mère, la douce Matkah, lui dit :

« Tu n'arriveras jamais à empêcher le massacre. Va jouer dans la mer, Kotick. »

Et Kotick partit danser la Danse du Feu, son petit cœur gros de chagrin.

Cet automne-là, il quitta la plage dès qu'il put ; et il partit seul, à cause d'une idée qu'il avait derrière sa petite tête. Il irait trouver Veau de Mer, pour autant qu'il existât pareil personnage dans l'étendue marine, et il découvrirait une île tranquille, avec de bonnes plages de sable ferme, idéales pour les phoques, à l'abri des hommes. Il se mit alors à explorer le Pacifique, du nord au sud, tout seul, inlassablement; en un jour et une nuit, il nageait jusqu'à cinq cents kilomètres. Il lui arriva d'innombrables aventures, plus qu'on n'en peut conter; il échappa de justesse au Requin Pèlerin, au Requin Moucheté, au Requin Marteau; il croisa tous les affreux bandits qui écument les mers, les lourds poissons courtois et les grands coquillages aux taches écarlates qui restent pendant des siècles ancrés au même endroit et s'en gonflent d'orgueil. Mais pas de Veau de Mer, nulle part, ni l'île, non plus, qui fît son bonheur. Si la plage était belle et ferme, avec une pente, par-derrière, où les phoques pussent jouer, il y avait toujours à l'horizon la fumée d'un baleinier qui faisait bouillir du lard, et Kotick savait parfaitement ce que cela signifiait. Ou bien l'île lui révélait les traces de la présence, autrefois, d'une colonie de phoques, et de leur massacre. Or, Kotick savait que là où l'homme est passé, il reviendra toujours.

Il fit la connaissance d'un vieil Albatros à queue tronquée, qui lui présenta l'île Kerguelen comme l'endroit rêvé pour qui cherchait la tranquillité ; mais quand Kotick descendit jusque là-bas, il faillit se fracasser les os sur de perfides falaises noires au cours d'un violent orage de grésil, accompagné de tonnerre et d'éclairs. Tout en ramant contre le grain, il constata que même là s'était établie jadis une colonie de phoques. Et sur toutes les autres îles qu'il visita, il en fut de même.

Limmershin cita une longue liste ; en effet, dit-il, Kotick avait passé cinq saisons en explorations, entrecoupées d'un repos de quatre mois par an à Novastoshnah, où les holluschickies se moquaient de lui et de ses îles imaginaires. Il vit les Gallapagos – aride et sinistre endroit sur l'Équateur –, où il faillit griller vif ; il vit l'île de la Géorgie, les Orcades, l'île Émeraude, l'île du Petit Rossignol, l'île de Gough, l'île Bouvet, les Crozet, et même une île infime au sud du cap de Bonne-Espérance. Mais le Peuple de la Mer lui répétait partout la même chose. Des phoques, jadis, avaient fréquenté toutes ces îles ; mais les hommes les y avaient exterminés. Et même lorsqu'il s'aventura à plusieurs milliers de kilomètres du Pacifique, jusqu'au cap appelé Corientes (à son retour de l'île de Gough), il découvrit sur un rocher quelques centaines de phoques galeux, qui lui racontèrent que les hommes venaient aussi là-bas. Au bord du désespoir, il repassa le cap Horn pour revenir à ses plages du nord. En cours de route, il fit escale sur une île couverte d'arbres verts, où il rencontra un vieux, un très vieux phoque moribond ; Kotick lui attrapa du poisson et lui narra ses multiples échecs.

« A présent, dit Kotick, je retourne à Novastoshnah et tant pis si je me fais mener aux abattoirs avec les holluschickies. »

Le vieux phoque lui dit :

« Essaie encore un coup ! Je suis le dernier survivant de la Colonie Perdue de Masafuera. A l'époque, les hommes nous tuaient par centaines de milliers et, sur les plages, le bruit courait qu'un jour viendrait du nord un phoque blanc qui conduirait tout le peuple des phoques vers un havre de paix. Je suis vieux, je mourrai avant ; mais d'autres verront ce jour. Essaie encore une fois ! »

Kotick frisa sa moustache (une merveille!) et dit :

« Je suis le seul phoque blanc jamais né sur les grèves et le seul phoque, noir ou blanc, à s'être jamais soucié de chercher des îles nouvelles. »

Kotick s'en trouva tout ragaillardi. Quand il revint à Novastoshnah cet été-là, Matkah, sa mère, l'adjura de se marier et de s'établir, car il n'était plus un holluschickie, mais un ours de mer adulte, aussi lourd, aussi gros, aussi féroce que son père : sa crinière blanche lui retombait en boucles sur les épaules.

« Accorde-moi une dernière saison, dit-il. Rappelle-toi, maman : c'est toujours la septième vague qui déferle le plus haut sur la plage. »

Par une étrange coïncidence, il se trouva une jeune otarie pour préférer, elle aussi, retarder d'un an son mariage et Kotick passa la nuit précédant son départ pour son ultime expédition à danser avec elle la Danse du Feu d'un bout à l'autre de la plage de Lukannon. Cette fois, il prit vers l'ouest, car il était tombé sur la piste d'un énorme banc de flétans; or, il lui fallait au moins cinquante kilos de poisson frais par jour pour rester en forme. Il leur donna la chasse jusqu'à épuisement de ses forces, puis s'endormit, en boule, au creux des vagues, porté par le courant qui baigne l'île du Cuivre. Il connaissait parfaitement la côte ; aussi, quand aux environs de minuit il se sentit toucher en douceur un lit d'algues, se dit-il : « Hum ! comme la marée est forte, ce soir ! » : il se retourna dans l'eau, ouvrit lentement les yeux et s'étira. Mais il bondit aussitôt comme un chat, car il aperçut d'énormes masses qui furetaient dans les hauts-fonds et broutaient les lourdes franges du varech.

« Par les Grands Rouleaux de Magellan[1] ! dit-il dans sa moustache. Par les Grands Fonds, c'est qui, ceux-là ? »

Morse, lion de mer, phoque, ours, baleine, requin, poisson, seiche ou coquillage, ils ne ressemblaient à rien que Kotick eût déjà vu. Longs d'une dizaine de mètres, ils n'avaient pas de nageoires postérieures, mais une queue en forme de pelle qui paraissait taillée

---

1. Les grandes déferlantes qui viennent du pôle Sud jusque sur les plages et les rochers de la Patagonie.

dans du cuir mouillé. Leur tête était la chose la plus niaise qui soit. Quand ils ne broutaient pas, ils se tenaient en équilibre sur la queue, en eau profonde, se saluaient d'un air très solennel et remuaient leurs nageoires antérieures comme un gros homme agite le bras.

« Hem! dit Kotick. La pêche est bonne, messieurs? »

Comme avec le Laquais-Grenouille[1], pour toute réponse les grosses masses s'inclinèrent et remuèrent les nageoires. Quand ils recommencèrent à brouter, Kotick nota qu'ils avaient la lèvre supérieure fendue : les deux moitiés pouvaient se contracter, s'écarter d'une trentaine de centimètres, puis se refermer sur un plein boisseau d'algues; la bouche débordant, ils mâchonnaient alors avec solennité.

« Sale manière de manger! » dit Kotick.

Nouvelle révérence. Kotick sentit la colère monter.

« Bon. D'accord, vous avez effectivement une articulation de plus à la nageoire antérieure. Pas la peine de tant crâner pour ça!

---

1. Au chapitre VI d'*Alice au pays des merveilles*, c'est le valet de pied qui salue toujours, mais ne dit jamais rien. (*N.d.T.*)

Vous faites très joliment la révérence : soit! mais j'aimerais savoir comment vous vous appelez. »

Les lèvres fendues bougèrent, se contractèrent; les yeux glauques s'arrondirent, mais aucun mot ne sortit.

« Vraiment! dit Kotick, je n'ai jamais rien vu de plus laid! Vous êtes encore pires que Morsevitch... et plus mal élevés! »

Tout à coup, il se rappela ce que la Mouette Bourgmestre lui avait crié à l'île aux Morses, alors qu'il n'avait pas plus d'un an. Il exécuta une pirouette arrière dans l'eau : il savait qu'il tenait enfin Veau de Mer! Les veaux marins continuaient à brouter et à mâchouiller leur goémon dans un concert de ploufs et de susurrements. Kotick leur posa des questions dans toutes les langues qu'il avait apprises au cours de ses voyages; et chez le Peuple de la Mer, on parle presque autant de langues que chez les hommes. Mais les veaux marins ne répondaient rien : Veau de Mer ne sait pas parler. Il n'a que six vertèbres cervicales au lieu de sept et on dit, sous les mers, que cela l'empêche de parler même avec ses semblables. Mais, comme vous le savez, il possède une articulation supplémentaire à la nageoire antérieure ; il l'agite en haut, en bas, en rond, et compose ainsi une ébauche de code télégraphique.

Au lever du jour, Kotick avait la crinière en brosse et sa patience avait sombré au royaume des crabes morts. C'est alors que les veaux marins s'ébranlèrent lentement vers le nord. Ils s'arrêtaient de temps en temps pour tenir d'absurdes conciliabules tout en salutations. Kotick les suivait en se disant : « Bêtes comme ils sont, voilà long-temps qu'ils se seraient fait massacrer, s'ils n'avaient découvert une île tranquille quelque part ; et ce qui est bon pour le Veau de Mer ne peut que l'être aussi pour l'Ours de Mer. Tout de même ! s'ils pouvaient seule-ment aller un peu plus vite… »

Kotick enrageait. Le troupeau des veaux marins ne parcourait jamais plus de soixante à quatre-vingts kilomètres par jour ; ils s'arrê-taient le soir pour manger et ne s'écartaient jamais de la côte. Kotick eut beau nager au-tour d'eux, par-dessus, par-dessous : il n'arri-va même pas à leur faire gagner un kilo-mètre. Dès qu'ils furent plus au nord, ils tinrent un conseil de salutations toutes les deux ou trois heures; Kotick s'était presque arraché la moustache d'impatience, lorsqu'il s'aperçut en fin de compte qu'ils remontaient un courant chaud : il les en respecta davantage. Une nuit, ils coulèrent, comme des pierres, dans une eau lumineuse et, pour la première fois depuis que Kotick les avait rencontrés, ils se mirent à nager vite. Kotick suivit, stupéfait de leur vitesse; jamais il n'avait imaginé Veau de Mer bon nageur. Ils mirent le cap sur une falaise du littoral – une falaise qui s'enfonçait loin sous la mer – et plongèrent, jusqu'à quarante mètres de profondeur, dans un trou noir au pied de cette falaise. Ce fut une longue, longue plongée. Avant de ressortir du noir tunnel par où ils l'entraînèrent, Kotick suffoquait.

« Par ma perruque! dit-il, quand il refit surface, à bout de souffle, de l'autre côté du tunnel. Quel plongeon! mais ça en valait la peine. »

Les veaux marins s'étaient éparpillés et broutaient paresseusement le long des plus belles plages que Kotick eût jamais vues. C'étaient des kilomètres et des kilomètres de roche polie, un endroit rêvé pour une colonie de phoques, et, par-derrière, des terrains de jeux sur des versants de sable durci orientés vers les terres. Il y avait des rouleaux où danser, de grandes herbes où folâtrer, des dunes à escalader, à dévaler, et surtout – Kotick le savait rien qu'à sentir l'eau (un Ours de Mer ne s'y trompe jamais) –, l'homme n'était jamais venu par là. En premier lieu, il vérifia que les eaux étaient poissonneuses : ensuite, longeant les grèves à la nage, il dénombra les îles exquises, sablonneuses, à demi cachées, à fleur d'eau, dans les splendides volutes de la brume. Un peu plus loin, au nord, vers le large, s'étirait une ligne de barres rocheuses, de hauts-fonds et d'écueils, qui ne laisserait pas le moindre bateau s'approcher à moins de six milles du rivage ; entre la côte et les îles se creusait une fosse qui venait buter sur les falaises verticales. Et quelque part, sous ces mêmes falaises, s'ouvrait la bouche du tunnel.

« C'est Novastoshnah, en dix fois mieux ! dit Kotick. Veau de Mer doit être plus malin que je ne croyais. Même s'il y avait des hommes, jamais ils ne pourraient descendre ces falaises ; et, côté mer, les récifs réduiraient en bouillie n'importe quel navire. S'il est, de par les mers, un lieu sûr où l'on est en sécurité, c'est bien ici. » Il se prit à songer à celle qu'il avait laissée à Novastoshnah. Mais, quelle que fût son impatience, il explora minutieusement la nouvelle contrée, afin de pouvoir répondre à toutes les questions.

Enfin, il plongea, veilla à ne pas manquer l'entrée du tunnel et le franchit d'un trait, en direction du sud. Il fallait être phoque ou veau marin pour imaginer que pût exister pareil endroit. Kotick lui-même, quand il se retourna pour jeter un dernier coup d'œil aux falaises, avait du mal à concevoir qu'il eût été là-bas.

Il mit dix jours à rentrer – en nageant vite. Quand il prit terre, juste au-dessus du Cou-du-Lion-de-Mer, la première personne qu'il rencontra fut la belle qui l'attendait. Elle lut dans ses yeux qu'il avait enfin trouvé son île.

Mais les holluschickies, son père, Ours de Mer, et tous les autres phoques se moquèrent de lui, quand il leur conta sa découverte. Un jeune phoque, de son âge à peu près, dit :

« Tout ça, c'est très joli, Kotick, mais à

peine rentré d'on ne sait où, tu crois pouvoir nous donner l'ordre de tout quitter comme ça? Souviens-toi que nous nous sommes battus pour nos crèches, nous. Tu ne pourrais pas en dire autant. Tu préférais vadrouiller par les mers. »

Les autres phoques s'esclaffèrent et le jeune phoque commença à se dandiner de la tête. Il venait de se marier cette année-là et en faisait toute une histoire.

« Moi, je n'ai pas de crèche à défendre, dit Kotick. Je veux simplement vous montrer à tous un endroit où vous serez en sécurité. A quoi bon se battre?

— Oh! si tu cherches à te dérober, évidemment, je n'ai plus rien à dire, dit le jeune phoque en ricanant.

— Si c'est moi qui gagne, tu viens avec moi? » demanda Kotick.

Une lueur verte s'alluma dans son œil, car, pour commencer, il était furieux d'avoir à se battre.

« D'accord, dit le jeune phoque, d'un ton cavalier. Si tu gagnes, j'irai. »

Il n'eut pas le temps de changer d'avis : la tête de Kotick partit comme un ressort et ses dents se plantèrent dans le gras du cou du jeune phoque. Puis, brusquement redressé, il prit appui sur son séant et traîna son adversaire le long de la plage, le secoua, le culbuta. Alors, à l'adresse des phoques, il rugit :

« Au cours des cinq dernières saisons, j'ai fait tout ce que j'ai pu pour vous. Je vous ai trouvé l'île où vous serez à l'abri du danger ; mais tant qu'on ne vous aura pas arraché la tête de votre cou imbécile, vous n'y croirez pas ! Eh bien, je vais vous donner une leçon, moi ! Gare à vous ! »

Limmershin me dit que, de sa vie (et Limmershin voit, tous les ans, dix mille gros phoques se battre), de toute sa petite vie, jamais il n'avait rien vu de tel que la charge de Kotick à travers les crèches. Kotick se jeta sur le plus gros ours de mer du tas, le saisit à la gorge, l'étouffa, l'étrilla, le rossa jusqu'à ce que l'autre piaule et demande grâce ; il le jeta alors de côté et se rua sur le suivant. Il faut vous dire que Kotick, lui, ne jeûnait pas quatre mois par an, comme les grands phoques ; ses courses en haute mer le maintenaient au mieux de sa forme et surtout, il ne s'était encore jamais battu. Sa crinière aux boucles blanches se hérissa de colère ; ses yeux flamboyaient ; ses grands crocs étincelaient : il était vraiment superbe ! Le vieil Ours de Mer, son père, le vit passer en trombe devant lui, traîner par la place les vieux phoques grisonnants, comme si c'étaient des flétans, et culbuter les jeunes célibataires dans tous les sens. Ours de Mer rugit et s'écria :

« Il est peut-être idiot, mais, en attendant, nul, sur les plages, ne se bat mieux que lui ! Ne t'attaque pas à ton père, mon fils ! il est dans ton camp. »

Kotick répondit par un rugissement et le vieil Ours de Mer, la moustache ébouriffée, entra dans la mêlée en se dandinant. Il soufflait comme une locomotive, tandis que Matkah et la fiancée de Kotick, tapies dans le sable, admiraient leurs hommes. Ce fut une bataille magnifique : tant qu'un seul phoque osa lever le nez, le père et le fils poursuivirent le combat. Après quoi, ils arpentèrent fièrement la plage côte à côte, en meuglant.

La nuit venue, comme les premiers scintillements d'une aurore boréale clignotaient dans la brume, Kotick, du haut d'un rocher nu, vint contempler les crèches ravagées, les phoques meurtris, ensanglantés :

« Voilà ! dit-il, je vous ai donné une bonne leçon.

— Par ma perruque ! dit le vieil Ours de Mer en se soulevant, raidi par son effroyable éreintement. L'Orque Épaulard lui-même ne les aurait pas mieux taillés en pièces. Je suis fier de toi, mon fils. Bien plus : je vais te suivre, moi, sur ton île… si elle existe.

— Eh ! vous, gros pourceaux de mer ! Qui vient avec moi au tunnel du Veau marin ? Répondez ou je vous administre une deuxième leçon ! » rugit Kotick.

Tout le long des plages, un murmure monta, comme un clapotis de vaguelettes :

« Nous allons venir ! dirent des milliers de voix brisées. Nous allons suivre Kotick, le Phoque Blanc. »

Kotick enfonça alors la tête dans les épaules et ferma les yeux avec orgueil. Il n'avait plus rien d'un phoque blanc : il était rouge de la tête à la queue, mais trop fier pour regarder ou toucher la moindre de ses plaies.

Une semaine plus tard, à la tête de son

armée (près de dix mille holluschickies et phoques adultes), Kotick prit le chemin du nord, vers le tunnel du Veau marin. Les phoques qui restèrent à Novastoshnah les traitèrent d'idiots. Mais, au printemps suivant, lors des grandes retrouvailles au large des lieux de pêche du Pacifique, les phoques de Kotick dirent tant de merveilles des nouvelles plages situées de l'autre côté du tunnel du Veau marin que les phoques abandonnèrent Novastoshnah en nombre toujours croissant. Naturellement, cela ne se fit pas d'un seul coup, car les phoques ne sont pas très intelligents ; il leur faut beaucoup de temps pour réfléchir ; mais au fil des ans, les phoques furent de plus en plus nombreux à quitter Novastoshnah, Lukannon et les autres colonies pour gagner les plages abritées et paisibles, où Kotick trône tout l'été, plus grand, plus gras, plus fort chaque année ; autour de lui jouent les holluschickies, en cette mer où il ne vient pas d'hommes.

Lukannon

(C'est, chez les phoques,
une sorte d'hymne national triste.)

Au jour levant j'ai retrouvé mes compagnons (je suis si
[vieux!) :
Sur les brisants la houle d'été déferlait sous mes yeux.
Mais sous les flots de leur chœur innombrable, le chant des
[eaux se noie,
Sur les Plages de Lukannon, peuplées de deux millions de
[voix.

Un chant d'agréables escales, là-bas, près du sel des lagunes,
Un chant d'escadrons mugissants se propulsant au bas des
[dunes,
Le chant des flammes dans les flots que font à minuit les
[danseurs –
Sur les Plages de Lukannon – avant l'arrivée des chasseurs!

Au jour levant j'ai retrouvé mes compagnons (perdus
[depuis!) :
Le rivage était noir du va-et-vient des armées dans le bruit.
Par nos clameurs dès le large accueillis, de l'aurore
[au couchant
Les arrivants remontaient sur le sable au rythme de nos
[chants.

Sur les Plages de Lukannon – Les grands épis du blé d'hiver! –
Lichens crépus perlés d'embruns! Sur tout, les brumes
[de la mer!

Rocs nus, lisses plateaux, offerts aux jeux de notre adolescence!
Sur les Plages de Lukannon – le haut lieu de notre naissance!

Au jour levant j'ai retrouvé mes compagnons (en triste état) :
Comme un troupeau de vils moutons, l'homme nous
$\qquad\qquad\qquad\qquad\qquad$ [pousse ; il nous rabat.
Fusils en mer, massues à terre, partout nous tue l'envahisseur!
Pourtant nous chantons Lukannon – avant l'arrivée des
$\qquad\qquad\qquad\qquad\qquad\qquad$ [chasseurs.

Au Sud! au Sud! ô Gooverooska, va! au Sud, prends ton essor!
Aux Vice-Rois de Haute Mer fais le récit de notre sort!
Car vide, hélas! comme un œuf de requin rejeté par l'orage,
Lukannon n'accueillera plus, bientôt, un seul fils sur ses Plages!

5

« Rikki-tikki-tavi »

Quand Peau-Fripée par le trou s'est glissé,
Rouge-Œil, dès qu'il le vit, s'est hérissé,
Petit Rouge-Œil aussitôt de lancer :
« Viens ici, Nag, avec la mort danser! »
Œil à œil, face à face et corps à corps ;
 (Eh, Nag! en cadence, la danse!)
En attendant que l'un des deux soit mort,
 (Eh! Nag! quand tu voudras, l'on danse!)
On se tortille, on bondit, on se tord!
 (Eh! Nag! c'est la dernière chance!)
Raté! la Mort en capuchon, t'es mort!
 (Eh! Nag! malheur à ton engeance!)

Voici l'histoire de la grande guerre que livra
Rikki-tikki-tavi, tout seul, dans les salles de

bains du grand bungalow, au cantonnement de Segowlee. Darzee, la fauvette couturière, l'aida et Chuchundra, le rat musqué, qui ne s'aventure jamais au milieu d'une pièce, mais rase toujours le mur, le conseilla. Mais le combat proprement dit fut l'œuvre du seul Rikki-tikki.

C'était une mangouste. Rikki ressemblait un peu à un petit chat par la fourrure et la queue, mais beaucoup à une belette par la tête et les mœurs. Ses yeux, tout comme le bout frémissant de son nez, étaient roses ; il pouvait se gratter à l'endroit qu'il voulait avec celle de ses pattes qu'il voulait ; il pouvait ébouriffer en goupillon sa queue ; et son cri de guerre, quand il détalait dans les hautes herbes, était : « *Rikki-tikki-tikki-tikki-tchk!* »

Un jour, le flot d'une crue d'été le délogea du terrier où il vivait avec son père et sa mère et l'entraîna, gesticulant et caquetant, dans un fossé en bordure de route. Il y trouva une petite touffe d'herbe à la dérive, s'y cramponna, mais finit par s'évanouir. Quand il revint à lui, il gisait, le poil tout boueux, dans le chaud soleil d'un jardin, au beau milieu d'une allée, et un petit garçon était en train de dire :

« Une mangouste morte! On va lui faire un enterrement!

— Non, dit sa mère. On va l'emporter et la sécher. Peut-être qu'elle n'est pas vraiment morte. »

Ils emportèrent Rikki à l'intérieur; un gros homme le prit entre le pouce et l'index et déclara qu'il n'était pas mort, mais seulement à moitié étouffé. Ils l'enveloppèrent d'ouate et l'exposèrent à la chaleur d'un petit feu. La mangouste ouvrit les yeux et éternua.

« Maintenant, il ne s'agit pas de lui faire peur, dit le gros homme (un Anglais qui venait de s'installer dans le bungalow); on va voir ce qu'il va faire. »

Rien n'est plus difficile que d'effrayer une mangouste, tant elles sont, du museau jusqu'à la queue, dévorées de curiosité. Toute leur famille a pour devise : « Cours-y voir! » et Rikki-tikki était fidèle à cette réputation. Il inspecta le coton, décida que ce n'était pas bon à manger, fit rapidement le tour de la table, s'assit, remit sa fourrure en état, se gratta et sauta sur l'épaule du petit garçon.

« N'aie pas peur, Teddy! lui dit son père. C'est sa façon de lier amitié.

— Aïe! il me chatouille sous le menton! »
dit Teddy.

Rikki-tikki jeta un coup d'œil entre le col
et le cou du garçon, lui renifla l'oreille, avant
de redescendre par terre, où il s'assit en se
frottant le nez.

« Par exemple! dit la mère de Teddy. C'est
un animal sauvage, ça? S'il est aussi familier,
c'est sans doute que nous avons été gentils
avec lui.

— Toutes les mangoustes sont comme ça,
dit son mari. Si Teddy ne l'attrape pas par la
queue, ou n'essaie pas de la mettre en cage,
on la verra entrer et sortir de la maison toute
la journée. Mais donnons-lui à manger. »

Ils lui donnèrent un petit morceau de
viande crue. Rikki-tikki s'en régala, puis partit s'installer sous la véranda, au soleil. Là, il
fit bouffer ses poils, pour qu'ils sèchent bien
jusqu'à la racine. Après quoi, il se sentit
mieux.

« Il y a plus de découvertes à faire dans
cette maison, se dit-il, que toute ma famille
n'en pourrait faire au cours d'une vie entière.
Je vais certainement rester explorer les parages. »

Il passa toute cette première journée à circuler aux quatre coins de la maison. Il faillit se noyer dans les baignoires, trempa le nez dans l'encre d'un bureau et, grimpé sur les genoux du gros homme afin de voir comment on s'y prenait pour écrire, il se le brûla sur le bout de son cigare. A la tombée de la nuit, il courut dans la chambre de Teddy voir comment s'allumait une lampe à pétrole et, quand Teddy se mit au lit, Rikki-tikki l'y suivit. Mais ce n'était pas un compagnon de tout repos : toute la nuit, au moindre bruit, il fallait absolument qu'il se levât, pour en découvrir l'origine. Les parents de Teddy vinrent voir leur garçon juste avant de se coucher : Rikki-tikki était sur l'oreiller, les yeux grands ouverts.

« Voilà qui ne me plaît guère, dit la mère de Teddy. Il risque de mordre le petit.

— Tu plaisantes ! dit le père. Teddy est plus en sécurité en compagnie de ce petit animal que s'il avait un limier pour le garder. Si un serpent s'introduisait en ce moment dans la chambre... »

Mais la mère de Teddy refusait d'imaginer pareille horreur.

Rikki-tikki vint de bonne heure sous la véranda prendre part au petit déjeuner, perché sur l'épaule de Teddy : on lui donna un peu de banane et d'œuf à la coque. Il passa d'un giron à l'autre, parce qu'une mangouste bien élevée a toujours l'espoir de trouver une maison d'adoption et d'avoir plusieurs pièces où courir. La mère de Rikki-tikki (elle vivait autrefois chez le Général à Segowlee) avait soigneusement expliqué à Rikki comment se conduire si d'aventure il rencontrait des Blancs.

Ensuite, Rikki-tikki sortit dans le jardin pour voir ce qu'il y avait à y voir. C'était un jardin à moitié cultivé seulement ; il y avait là des massifs de roses Maréchal-Niel, gros comme des pavillons d'été ; des citronniers ; des orangers ; des bouquets de bambous et des fourrés de hautes herbes. Rikki-tikki se pourlécha : « Quel magnifique terrain de chasse ! » se dit-il. Du coup, sa queue s'ébouriffa en goupillon. Il trottinait aux quatre coins du jardin, flairant par-ci, flairant par-là, quand, tout à coup, il entendit pleurnicher dans un buisson d'épines. C'étaient Darzee et sa femme, les fauvettes couturières. Ils avaient construit un nid splendide en joignant deux grandes feuilles dont ils avaient cousu de fibres les bords et tapissé le fond de coton et de duvet soyeux. Le nid se balançait et, perchés sur le rebord, ils pleuraient.

« Qu'y a-t-il? demanda Rikki-tikki.

— Quel malheur! dit Darzee. Hier, l'un de nos bébés est tombé du nid et Nag l'a mangé.

— Hem! dit Rikki-tikki; c'est bien triste… Mais je suis nouveau ici : qui est-ce, Nag? »

Au lieu de répondre, Darzee et sa femme se tapirent au fond du nid, car, de l'herbe qui noyait le pied du buisson, provint un hideux sifflement : un bruit sourd et glacé, qui fit bondir Rikki-tikki de près d'un mètre en arrière. Centimètre par centimètre, émergèrent alors de l'herbe la tête et le capuchon dilaté de Nag, le grand cobra noir, qui, du bout de la langue au bout de la queue, mesurait plus d'un mètre cinquante. Une fois le tiers de son corps soulevé de terre, il resta à osciller, comme une boule de pissenlit balancée par le vent, fixant sur Rikki-tikki ces horribles yeux de serpent dont l'expression, quoi qu'il pense, ne change jamais.

« Qui est-ce, Nag? reprit le cobra. Nag, c'est moi! Le grand dieu Brahma a apposé son sceau sur notre peuple tout entier le jour où le premier cobra déploya son capuchon pour protéger du soleil Brahma endormi. Regarde, et tremble! »

Il dilata son capuchon au maximum. Rikki-tikki aperçut, au revers, le dessin des lunettes, semblables à des anneaux d'agrafe. Sur le coup, Rikki-tikki eut peur. Mais une mangouste est incapable d'avoir peur plus d'un instant. Certes, Rikki n'avait encore jamais vu de cobra vivant, mais sa mère l'avait nourri de cobras morts et il savait qu'une mangouste adulte n'avait d'autre but dans l'existence que de faire la guerre aux serpents et d'en manger. Nag aussi le savait et, tout au fond de son cœur de glace, il avait peur.

« Alors, dit Rikki-tikki dont la queue repartit en plumeau, sceau du dieu ou pas, tu crois que c'est bien, de ta part, de venir manger les oisillons tombés du nid? »

Nag réfléchissait et guettait un infime frémissement de l'herbe derrière Rikki-tikki. Il savait qu'une mangouste dans le jardin signifiait tôt ou tard la mort pour lui et sa famille ; mais il voulait endormir la vigilance de Rikki-tikki. Il abaissa donc un peu la tête et se pencha de côté.

« Discutons, dit-il. Tu manges bien des œufs, toi. Pourquoi n'aurais-je pas le droit, moi, de manger des oiseaux ?

— Derrière toi ! regarde derrière toi ! » pépia Darzee.

Rikki-tikki se garda bien de perdre son temps à écarquiller les prunelles. Il bondit le plus haut possible ; la tête de Nagaina, la méchante épouse de Nag, lui siffla au ras du ventre. Pendant que Rikki parlait, elle s'était faufilée derrière lui pour l'anéantir. Elle avait manqué son coup ; il entendit son sifflement féroce et faillit lui retomber en plein sur le dos. Eût-il été plus vieux, il aurait su que c'était là le moment ou jamais de lui briser le dos d'un bon coup de mâchoire. Mais il eut peur du foudroyant retour de queue du cobra. Rikki-tikki donna bien un coup de dent, mais trop bref. Il bondit pour ne pas se faire faucher par la queue et il laissa Nagaina meurtrie et furieuse.

« Vilain, vilain Darzee ! » dit Nag en se jetant

le plus haut possible pour atteindre le nid perché dans le buisson d'épines.

Mais Darzee l'avait construit hors de portée des serpents et le nid ne fit guère qu'osciller.

Rikki-tikki sentit ses yeux devenir rouges et brûlants (quand les yeux d'une mangouste deviennent rouges, c'est qu'elle est en colère); il se campa sur sa queue et ses pattes de derrière comme un petit kangourou. Il regarda tout autour de lui; ses dents claquaient de rage. Mais Nag et Nagaina avaient disparu dans l'herbe. Quand un serpent manque son coup, il ne dit jamais rien, ni ne laisse rien deviner de ses intentions. Rikki-tikki n'avait pas tellement envie de les suivre, pas sûr de pouvoir venir à bout de deux serpents à la fois. Il regagna donc en trottinant l'allée de gravier près de la maison et s'assit pour réfléchir. L'affaire était grave. Si vous consultez les anciens livres d'histoire naturelle, vous y verrez qu'une mangouste mordue au cours d'un combat avec un serpent part vite manger une herbe spéciale qui la guérit. C'est faux. Œil vif, pied prompt, le secret de la victoire est là – détente de serpent contre saut de mangouste ; et comme aucun œil n'est capable de suivre la tête du serpent quand elle frappe, nulle herbe magique ne rivalisera jamais avec ce prodige-là. Rikki-tikki se savait encore petit et n'en était que plus fier d'avoir su échapper à une attaque à revers. Il en tira confiance et quand Teddy accourut dans l'allée, Rikki-tikki était prêt à toutes les caresses. Mais à l'instant où Teddy se baissait, quelque chose se tortilla dans la poussière et une voix ténue lança :

« Gare à vous ! je suis la Mort ! »

C'était Karait, le petit serpent terreux qui se plaît dans la poussière de terre. Sa morsure est aussi dangereuse que celle du cobra. Mais il est si petit que personne ne se soucie de lui : ses dégâts n'en sont que plus consi-dérables.

Les yeux de Rikki-tikki redevinrent rouges. Il s'approcha de Karait avec ce roulis, ce ba-lancement rythmé hérité de sa famille. Très comique en apparence, cette démarche sup-pose un équilibre si parfait, que la mangouste peut, à tout moment, jaillir comme un trait dans n'importe quelle direction : avantage considérable pour qui a affaire à des serpents.

Si Rikki-tikki avait su! Il livrait là un combat bien plus dangereux qu'avec Nag : Karait est si petit en effet et peut se retourner si vite, qu'à moins de le mordre près de la nuque, Rikki recevrait le retour de queue en plein dans l'œil ou sur la lèvre. Mais Rikki ne savait pas. Les yeux tout rouges, il se balançait en avant, en arrière, et cherchait du regard la meilleure prise. Karait s'élança. Rikki bondit de côté et essaya de rentrer au corps à corps; mais la vilaine petite tête terreuse cingla l'air à un poil de son épaule : il dut sauter par-dessus le corps, la tête de Karait à ses trousses.

Teddy cria en direction de la maison :

« Eh! regardez! Notre mangouste est en train de tuer un serpent. »

Rikki-tikki entendit la mère de Teddy pousser un cri. Son père sortit en courant, armé d'un gourdin; mais, le temps qu'il arrive, Karait avait sauté, visé trop loin. Rikki-tikki avait bondi, atterri sur le dos du serpent, plongé la tête loin entre les pattes de devant, l'avait mordu le plus haut possible au cou, avant de bouler plus loin. La morsure de la mangouste paralysa Karait et Rikki-tikki s'apprêtait à le dévorer en commençant par la queue, selon la coutume de sa famille au dîner, lorsqu'il se rappela qu'à ventre plein, mangouste lente. Or, s'il voulait pouvoir à tout moment compter sur sa force et sa rapidité, il lui fallait rester mince. Il partit se nettoyer dans la poussière sous les buissons de ricin, pendant que le père de Teddy battait le cadavre de Karait. « A quoi ça sert? songea Rikki-tikki; je lui ai réglé son compte. » Ensuite, la mère de Teddy le ramassa dans la poussière, l'étreignit et dit en larmes qu'il avait sauvé la vie à Teddy; le père de Teddy le qualifia de providence; Teddy ouvrait sur la scène de grands yeux effarés. Rikki-tikki trouva assez drôles tous ces épanchements auxquels il ne comprenait rien, bien entendu. La mère de Teddy aurait tout aussi bien pu cajoler son fils pour s'être roulé dans la poussière. Rikki s'amusait énormément.

Ce soir-là, au dîner, pendant qu'il se promenait sur la table entre les verres à vin, il aurait pu s'empiffrer comme un porc; mais il repensait à Nag et à Nagaina. Certes l'épaule de Teddy ou les cajoleries de sa mère ne manquaient pas de douceur, mais, par moments, les yeux de Rikki rougeoyaient; il lançait alors son long cri de guerre : « *Rikki-tikki-tikki-tikki-tchk !* »

Teddy l'emmena avec lui au lit et voulut absolument qu'il dorme tout près de son menton. Rikki-tikki était trop bien élevé pour mordre ou griffer; mais, dès que Teddy s'endormit, il partit faire sa promenade nocturne à travers la maison. Dans le noir, il tomba sur Chuchundra, le rat musqué, qui rasait le mur. Chuchundra est un petit animal au cœur brisé. Il passe ses nuits à pleurnicher, à piauler. Il se dit toujours qu'il va s'aventurer jusqu'au milieu de la pièce – mais il n'arrive jamais à se décider.

« Ne me tue pas! dit Chuchundra au bord des larmes. Rikki-tikki, ne me tue pas!

— Parce que tu crois qu'un tueur de serpents tue des rats musqués? dit Rikki-tikki avec mépris.

— Quiconque tue les serpents périra par les serpents, dit Chuchundra, plus triste que jamais. Et comment être sûr que Nag ne va pas me confondre avec toi, par quelque nuit très noire?

— Il n'y a vraiment aucun risque! dit

Rikki-tikki. De toute façon, Nag est dans le jardin et je sais que tu n'y vas jamais.

— Mon cousin Chua, le rat, m'a dit..., commença Chuchundra, avant de s'interrompre.

— T'a dit quoi?

— Chut! Nag est partout, Rikki-tikki. Tu aurais dû parler à Chua au jardin.

— Mais je ne l'ai pas fait : tu dois donc m'expliquer. Dépêche-toi, Chuchundra, sinon je te mords! »

Chuchundra s'assit et répandit tant de larmes qu'elles lui dégoulinèrent des moustaches.

« Je suis si malheureux! sanglota-t-il. Je n'ai jamais eu le courage d'avancer jusqu'au milieu de la pièce. Chut! Inutile de te raconter... Tu n'entends rien, Rikki-tikki? »

Rikki-tikki tendit l'oreille. La maison était plongée dans le plus profond silence. Il crut cependant percevoir un gratte-gratte presque imperceptible (léger comme une guêpe marchant sur un carreau) : le crissement sec des écailles d'un serpent sur la brique.

« Ça, c'est Nag ou Nagaina, se dit-il, qui rampe par la bonde de la salle de bains. »

« Tu as raison, Chuchundra, j'aurais dû parler à Chua. »

Il se rendit discrètement d'abord à la salle d'eau de Teddy, où il ne détecta rien d'anormal, puis à celle de la mère de Teddy. Au bas du mur crépi de plâtre lisse, on avait retiré une brique, pour permettre à l'eau du bain de s'écouler. Quand Rikki-tikki s'approcha sans un bruit de la margelle en maçonnerie où s'encastre la baignoire, il entendit Nag et Nagaina chuchoter dehors au clair de lune.

« Quand il n'y aura plus personne dans la maison, disait Nagaina à son mari, il faudra bien qu'il s'en aille, lui aussi. Dès lors, nous serons de nouveau les maîtres dans le jardin. Entre sans bruit et souviens-toi que tu dois mordre en premier le gros qui a tué Karait. Après, tu ressors me raconter et tous les deux, on fait la chasse à Rikki-tikki.

— Mais es-tu sûre qu'il y a quelque chose à gagner à tuer la famille ? dit Nag.

— Tout à gagner ! Quand le bungalow était inhabité, avions-nous une mangouste dans le jardin ? Tant que le bungalow reste vide, on est les rois dans le jardin. Et souviens-toi que, dès l'éclosion de nos œufs cachés dans la melonnière (dès demain, peut-être), nos enfants auront besoin d'espace et de tranquillité.

— Je n'y avais pas pensé, dit Nag. Je vais y aller, mais on n'a pas besoin de faire la chasse à Rikki-tikki après. Je vais tuer le gros et sa femme, et le gamin aussi si je peux, et je ressors discrètement. Le baraquement sera vide et Rikki-tikki s'en ira. »

A ces mots, Rikki-tikki se sentit bouillir de colère et de haine. Puis, la tête de Nag franchit la bonde, suivie de son mètre cinquante de corps glacé. Malgré sa fureur, Rikki-tikki fut saisi d'effroi face à l'énormité du cobra. Nag se lova, dressa la tête et scruta l'obscurité de la salle de bains. Rikki vit ses yeux scintiller.

« Si je le tue ici, Nagaina le saura. Et si je l'affronte au milieu de la pièce, il part favori. Que faire ? » s'interrogea Rikki-tikki-tavi.

Nag darda la tête à droite, à gauche. Puis, Rikki-tikki l'entendit boire de l'eau à la plus grosse des cruches, celle qui servait à remplir la baignoire.

« Ça fait du bien ! dit le serpent. Quand Karait s'est fait tuer, le gros bonhomme avait un bâton. Peut-être l'a-t-il encore en ce moment. Mais quand il viendra prendre son bain demain matin, il n'aura pas de bâton. Je vais l'attendre ici. Nagaina! tu m'entends? je vais attendre ici au frais, jusqu'au jour. »

Dehors, personne ne répondit. Rikki-tikki en conclut que Nagaina était repartie. Nag enroula ses anneaux, un par un, autour de la panse du pot à eau. Rikki-tikki, de son côté, ne bougea pas d'un poil. Au bout d'une heure, il entreprit d'avancer, un seul muscle à la fois, en direction de la cruche. Nag dormait. Rikki-tikki considéra son dos énorme, en se demandant où se situerait la meilleure prise. « Si je ne lui brise pas l'échine au premier bond, dit Rikki, il peut encore se battre ; et s'il se bat, mon pauvre Rikki... » Il examina l'épaisseur du cou sous le capuchon ; non, c'était trop épais pour lui ; et mordre Nag près de la queue ne servirait qu'à le rendre fou furieux.

« Il faut que ce soit à la tête, conclut-il ; à la tête, et au-dessus du capuchon ; et une fois là-haut, il ne faudra surtout pas lâcher. »

Il bondit. La tête, logée sous l'arrondi du flanc, ne touchait pas la cruche et, à la

seconde même où ses mâchoires se refermè-rent, Rikki s'arc-bouta du dos au renflement de terre cuite rouge, pour clouer la tête au sol. Il gagna là une précieuse seconde, dont il profita au maximum. Puis, ce fut une tempête de coups, comme un rat secoué par un chien – par terre, en l'air, à droite, à gauche, en rond par toute la pièce – mais ses yeux étaient rouges et il tint bon, pendant que le corps cravachait le sol, culbutait la louche d'étain, le porte-savon, le gant de crin, et martelait la tôle sur le flanc de la baignoire. Il tenait bon et resserrait encore l'étau de ses mâchoires, car, sûr de mourir assommé, il préférait, pour l'honneur de sa famille, être retrouvé les mâchoires closes. Étourdi, moulu et comme écartelé, soudain il entendit juste derrière lui un vrai coup de tonnerre. Un souffle brûlant lui fit perdre connaissance. Une flamme rouge lui roussit la fourrure. Le gros homme, réveillé par le bruit, venait de décharger les deux canons de son fusil sur Nag, juste derrière le capuchon.

Rikki-tikki, les yeux clos, restait accroché, persuadé à présent d'être mort. Mais la tête ne bougeait plus. Le gros homme le prit dans sa main et dit :

« C'est encore la mangouste, Alice ! cette fois, c'est à nous que la petite bête a sauvé la vie. »

La mère de Teddy arriva aussitôt, le teint blême, pour voir ce qui restait de Nag. Rikki-tikki se traîna jusqu'à la chambre de Teddy où, pour le restant de la nuit, il passa la moitié de son temps à se secouer doucement pour savoir s'il était effectivement brisé en trente-six morceaux comme il se le figurait.

Le lendemain matin, il était très raide, mais fort satisfait de son ouvrage. « Reste maintenant à régler son compte à Nagaina. Elle sera pire que cinq Nag et les œufs dont elle a parlé peuvent éclore n'importe quand. Bon sang ! il faut absolument que j'aille voir Darzee », dit-il.

Sans attendre le petit déjeuner, Rikki-tikki courut au buisson d'épines, où Darzee chantait à tue-tête un péan de victoire. La nouvelle de la mort de Nag avait fait le tour du jardin, car le boy avait jeté son cadavre sur le tas d'ordures.

« Espèce de touffe de plumes sans cervelle ! dit Rikki-tikki avec colère. Tu trouves que c'est le moment de chanter, toi ?

— Nag est mort... mort... mort! chantait Darzee. Le vaillant Rikki-tikki l'a saisi par la tête et ne l'a plus lâché. Le gros homme est arrivé avec boum-bâton-boum et Nag s'est cassé en deux! Jamais plus il ne mangera mes bébés!

— Tout cela n'est pas faux, mais où est Nagaina? dit Rikki-tikki en regardant attentivement autour de lui.

— Nagaina est venue à la bonde de la salle de bains. Elle a appelé Nag, reprit Darzee. Et Nag est sorti au bout d'un bâton... le boy l'a ramassé avec le bout de son bâton et l'a jeté sur le tas de fumier. Chantons le grand Rikki-tikki aux yeux rouges! »

Là-dessus, Darzee se gonfla la gorge et chanta.

« Si je pouvais monter jusqu'à ton nid, je flanquerais tes bébés par-dessus bord! dit Rikki-tikki. Tu fais tout à contretemps. Toi, là-haut, dans ton nid, tu es bien à l'abri, mais pour moi, ici en bas, c'est la guerre. Arrête de chanter une minute, Darzee!

— Pour l'amour du grand, du beau Rikki-tikki, je consens à me taire, dit Darzee. Qu'y a-t-il, ô Tueur de l'effroyable Nag?

— Pour la troisième fois, où est Nagaina?

— Sur le tas de fumier, près de l'écurie. Elle pleure son Nag. Grand est Rikki-tikki aux dents blanches!

— La peste soit de mes dents blanches! Saurais-tu par hasard où elle garde ses œufs?

— Dans la planche aux melons, côté mur, là où le soleil tape presque toute la journée. Ça fait des semaines qu'elle les y a cachés.

— Et tu n'as jamais eu l'idée de me prévenir? Côté mur, tu as dit?

— Rikki-tikki, tu ne vas pas manger ses œufs?

— Non, pas exactement; non. Darzee, si tu as un gramme de bon sens, tu vas t'envoler du côté de l'écurie, feindre d'avoir l'aile cassée et te faire pourchasser par Nagaina jusqu'à ton buisson. Il faut à tout prix que j'aille jusqu'aux melons et si j'y allais maintenant, elle me verrait. »

Darzee n'avait qu'une petite cervelle de moineau, incapable d'emmagasiner plus d'une idée à la fois. Simplement parce qu'il savait que les enfants de Nagaina naissaient comme les siens dans des œufs, *a priori* il ne lui sembla pas correct de les détruire. Mais, oiseau raisonnable, sa femme, elle, savait qu'œuf de cobra veut dire petit cobra plus tard ; elle s'envola donc du nid et laissa Darzee garder les bébés au chaud et poursuivre sa chanson sur la mort de Nag. A certains égards, Darzee ressemblait beaucoup aux hommes.

Elle vint voleter près du fumier, sous le nez de Nagaina, en poussant des cris :

« Oh ! j'ai l'aile cassée ! Le petit garçon de la maison m'a jeté une pierre et me l'a cassée. »

Et de voleter de plus belle, éperdument.

Nagaina dressa l'oreille et siffla :

« C'est toi qui as averti Rikki-tikki, alors que j'allais le tuer. Ma foi, tu n'as vraiment pas choisi le bon endroit pour traîner de l'aile. »

Elle glissa alors sur la poussière, vers la femme de Darzee.

« C'est le garçon qui me l'a cassée avec une pierre ! piaula la femme de Darzee.

— Eh bien ! si cela peut te consoler quand tu seras morte, sache que j'ai l'intention de lui régler son compte. Ce matin, mon époux gît sur le tas de fumier, mais avant ce soir, le fils de la maison, lui aussi, se tiendra fort tranquille… A quoi bon t'enfuir? Je suis sûre de t'attraper. Petite idiote, regarde-moi! »

La femme de Darzee se retint bien justement de la regarder : un oiseau qui croise le regard d'un serpent prend en effet si peur qu'il en reste comme paralysé. La femme de Darzee continua à piéter, en battant de l'aile et en pépiant à fendre l'âme. Nagaina pressa l'allure.

Rikki-tikki les entendit remonter l'allée qui part de l'écurie. Il se précipita jusqu'à l'extrémité de la melonnière voisine du mur. Là, dans la paille chaude qui protégeait les melons, il dénicha, habilement dissimulés, vingt-cinq œufs, gros, à peu près, comme des œufs de poule naine, mais enveloppés d'une peau blanchâtre en guise de coquille.

« Un jour de plus et c'était trop tard », dit-il. Il apercevait en effet les bébés cobras lovés sous la membrane et les savait, à peine éclos, capables de tuer chacun son homme ou sa mangouste. D'un coup de dent à la pointe des œufs, il les ouvrit le plus vite possible et prit soin d'écraser les jeunes cobras. De temps en temps, au cas où il en aurait laissé échapper, il retournait la paille. Il ne restait plus que trois œufs. Rikki-tikki commença à glousser de plaisir, lorsqu'il entendit la femme de Darzee hurler :

« Rikki-tikki, j'ai entraîné Nagaina du côté de la maison et elle a pénétré sous la véranda et... oh! viens vite... elle est venue pour tuer! »

Le temps de détruire deux autres œufs, puis de redégringoler le carré de melons avec le troisième œuf dans la gueule, et Rikki-tikki fila jusqu'à la véranda ventre à terre. Teddy et ses parents étaient installés devant leur petit déjeuner. Mais Rikki s'aperçut qu'ils ne mangeaient rien. Ils étaient cloués sur leur chaise, pétrifiés, livides. Lovée sur la natte près de la chaise de Teddy, d'où elle pouvait le mordre à la jambe n'importe quand, Nagaina se balançait aux accents d'un chant de triomphe.

« Fils du gros homme assassin de Nag, sifflait-elle, ne bouge pas! Je ne suis pas encore prête. Attends un peu. Pas un geste, vous trois! Si vous bougez, j'attaque, et si vous ne bougez pas, j'attaque aussi! Oh! pauvres imbéciles qui avez tué mon Nag! »

Teddy avait les yeux rivés sur son père, qui ne savait que lui chuchoter :

« Ne bouge pas, Teddy! Il ne faut absolument pas bouger. Teddy, ne bouge pas! »

Rikki-tikki surgit alors et s'écria :

« Retourne-toi, Nagaina! demi-tour et en garde!

— Chaque chose en son temps, dit-elle sans bouger les yeux. Ton tour va venir tout à l'heure. Regarde tes amis, Rikki-tikki : ils sont pétrifiés; ils sont blêmes. Ils ont peur. Ils n'osent pas bouger. Et si tu fais un seul pas de plus, j'attaque!

— Va voir tes œufs, dit Rikki-tikki, dans le carré de melons, près du mur! Va voir, Nagaina! »

Le grand serpent se retourna à moitié : il aperçut l'œuf sur le sol de la véranda.

« Ahhh! donne-moi ça! » dit-il.

Rikki-tikki posa une patte de chaque côté de l'œuf. Ses yeux étaient rouge sang.

« Combien donnes-tu pour un œuf de serpent? Pour un jeune cobra? Pour un jeune cobra royal? Pour le dernier... le tout dernier de la couvée? Les fourmis sont en train de manger tous les autres, là-bas, dans la melonnière. »

Nagaina pirouetta sur elle-même : son dernier œuf lui fit oublier tout le reste. Rikki-tikki vit la grosse main du père de Teddy se détendre, empoigner Teddy par l'épaule et le ramener par-dessus la petite table avec les tasses à thé, à l'abri, hors de portée de Nagaina.

« On t'a eue ! Et toc ! Et toc ! Et toc ! *Rikk-tck-ck !* caqueta Rikki-tikki. Le petit est hors de danger maintenant et c'est moi, oui, c'est moi qui ai attrapé Nag par le capuchon cette nuit dans la salle d'eau. »

Il se mit à sauter en l'air les quatre pattes jointes, la tête en bas au ras du sol.

« Il m'a secoué dans tous les sens, mais je n'ai pas lâché prise. Il était déjà mort quand le gros homme lui a fait sauter le corps en deux. C'est moi qui l'ai tué ! *Rikki-tikki-tck-tck !* Alors, je t'attends, Nagaina ! Viens te battre avec moi ! Tu ne resteras pas veuve longtemps. »

Nagaina comprit qu'elle avait laissé échapper sa chance de tuer Teddy. Et l'œuf était toujours entre les pattes de Rikki.

« Donne-moi l'œuf, Rikki-tikki ! Donne-moi le dernier de mes œufs et je m'en irai, je ne reviendrai plus jamais, dit-elle en abaissant son capuchon.

— Oui, tu vas t'en aller et tu ne reviendras plus jamais; parce que tu vas rejoindre Nag sur le tas de fumier. A l'attaque, la veuve! Le gros homme est parti chercher son fusil! Sus! »

Ses petits yeux comme des charbons ardents, Rikki-tikki bondissait autour de Nagaina, juste hors de portée de ses coups. Nagaina se tassa et se jeta sur lui. Rikki-tikki sauta en l'air, en arrière. Dix fois, elle attaqua : dix fois sa tête s'abattit bruyamment sur la natte de la véranda et dix fois elle se contracta de nouveau, comme un ressort. Puis Rikki-tikki dansa en rond pour la prendre à revers; mais Nagaina virevoltait de façon à rester face à face avec Rikki. Sa queue sur la natte bruissait comme des feuilles mortes balayées par le vent.

Rikki-tikki avait oublié l'œuf, abandonné sous la véranda. Petit à petit, Nagaina s'en rapprocha. Soudain, elle profita de ce que Rikki-tikki reprenait son souffle, pour saisir l'œuf dans sa gueule, obliquer vers l'escalier de la véranda et filer comme un trait dans l'allée, Rikki aux trousses. Lorsqu'un cobra prend la fuite il a la vitesse d'une mèche de fouet giflant le cou d'un cheval. Rikki-tikki savait qu'il lui fallait absolument la rattraper, sous peine de repartir à zéro. Elle s'élança droit vers les hautes herbes près du buisson d'épines. Tout en courant, Rikki-tikki entendit Darzee qui chantait toujours son absurde petit chant de triomphe. Mais la femme de Darzee avait davantage de bon sens. A l'approche de Nagaina, elle s'envola de son nid et vint voleter au-dessus de sa tête. A eux deux, Darzee et elle, ils auraient pu l'amener à se retourner. Mais Nagaina se contenta d'abaisser son capuchon, sans s'arrêter. Malgré tout, cette fraction de seconde de retard permit à Rikki-tikki de la rattraper : comme elle plongeait dans le trou de rat où elle vivait avec Nag, les petites dents blanches de Rikki se refermèrent sur sa queue et il disparut sous terre avec elle. Or, bien peu de mangoustes, pour sages et aguerries qu'elles soient, vont jusqu'à suivre un cobra dans son trou. Il faisait noir, dans le trou. Et s'il allait s'élargir et permettre à Nagaina de se retourner pour frapper? songeait Rikki-tikki. Il tint bon, comme un forcené, les quatre pattes écartées en guise de frein sur cette pente ténébreuse de terre chaude et moite. Puis, à l'entrée du boyau, l'herbe cessa d'ondoyer et Darzee gémit :

« C'en est fini de Rikki-tikki! Chantons son chant funèbre! Le vaillant Rikki-tikki est mort! Car, sous terre, Nagaina va sûrement le tuer. »

Et d'improviser alors un chant des plus tristes. Il arrivait à la partie la plus poignante, quand l'herbe, soudain, se remit à frémir et Rikki-tikki, sale et crotté, s'extirpa du trou, une patte après l'autre, en se léchant les moustaches. Darzee interrompit sa complainte et poussa un petit cri. Rikki-tikki secoua un peu la poussière qui souillait sa fourrure, éternua et dit :

« C'est fini! La veuve ne ressortira plus jamais! »

Les fourmis qui habitent entre les brins d'herbe l'entendirent : elles descendirent aussitôt en colonne vérifier ses dires.

Rikki-tikki se pelotonna dans l'herbe et s'endormit sur-le-champ. Il dormit longtemps, longtemps, et ne se réveilla qu'en fin d'après-midi, car la journée avait été rude.

« Maintenant, dit-il à son réveil, je vais retourner à la maison. Darzee, préviens le Chaudronnier ; il se chargera d'annoncer à tout le jardin que Nagaina est morte. »

Le Barbu Chaudronnier est un oiseau qui fait exactement le bruit d'un petit marteau sur un chaudron de cuivre, pour l'excellente raison qu'il est le crieur public de tout jardin indien et raconte tout ce qui se passe à qui veut l'entendre. Rikki-tikki remontait l'allée, quand il entendit, d'abord, ses petites notes de gong pour appeler l'attention, comme on annonce les repas, puis, régulier, son « *Ding-dong-toc!* Nag est mort! – *dong!* Nagaina est morte! *Ding-dong-toc!* » Du coup, tous les oiseaux du jardin se mirent à chanter et les grenouilles à coasser. Car Nag et Nagaina s'étaient montrés aussi friands de grenouilles que d'oisillons.

Quand Rikki arriva à la maison, Teddy, la mère de Teddy (encore pâle comme un linge après son évanouissement), ainsi que le père de Teddy, vinrent à sa rencontre, tentés de mêler des larmes à leurs caresses. Ce soir-là, Rikki mangea jusqu'à satiété tout ce qu'on lui donna ; puis il s'endormit dans le lit de

Teddy, sur son épaule, où la maman le trouva quand elle vint les voir, en fin de soirée.

« Il nous a sauvé la vie, ainsi qu'à Teddy, dit-elle à son mari. Tu te rends compte! il nous a sauvé la vie à tous! »

Rikki-tikki se réveilla en sursaut, car les mangoustes ont le sommeil léger.

« Oh! c'est vous! dit-il. Vous vous tracassez encore? Tous les cobras sont morts. Et s'il en restait, je suis là! »

Rikki-tikki était en droit d'être fier de lui; mais il ne dépassa jamais les bornes et surveilla le jardin en vraie mangouste, de la griffe et du croc, de l'ongle et de la dent, tant et si bien que jamais plus cobra n'osa montrer la tête dans l'enceinte des murs.

Le Péan de Darzee

(Chanté en l'honneur de Rikki-tikki-tavi)

Chanteur et couturier je suis –
Ce qui me rend donc doublement joyeux –
Fier du beau rythme de mes cui-cui
Et fier d'avoir cousu mon nid soyeux.
J'ai tissé ma maison, j'ai tissé ma chanson.

Chante encore à tes oisillons,
La Mère! Adieu, ce qui tue, ce qui mord!
Ô joie! nous nous égosillons!
La Mort au jardin a trouvé la mort.
La terreur sous les roses sur le fumier repose.

Mais qui nous a délivrés d'elle?
Qui c'est? Dis-moi son nid, dis-moi son nom!
Rikki, le vaillant, le fidèle,
Tikki, chasseur de grand renom;
Rikki-tikki-tikki! Yeux de feu! voilà qui!

Pour les Oiseaux, dis-lui « Merci! » –
(En son honneur, étale ton plumage!)
Des mots de rossignol aussi –
Mais non! c'est moi qui vais lui rendre hommage!

Rikki s'est rebiffé, la queue ébouriffée!

(Ici, Rikki-tikki interrompit la chanson, de sorte que le reste en est perdu.)

6

Toomai des éléphants

Je me souviendrai de ce que j'étais. Adieu,
        Piquets, cordes et pieux!
        Oui, je me souviendrai
De ma force jadis au cœur de la forêt.

Mon dos n'est plus à vendre : gardez vos sucreries
        Et vos agaceries.
        Je veux revoir mes frères
Et tous ceux de la Jungle au fond de leurs repaires.

Autour de moi je veux sentir jusqu'au levant
        Le pur baiser du vent
        Et des eaux la caresse.
J'attendrai dans la nuit que le soleil paraisse.

Oubliés mes anneaux! Et mes chaînes, brisées!
        Loin des voies balisées,

Kala Nag (autrement dit, Serpent Noir) servait le Gouvernement indien de toutes les manières propres à un éléphant, depuis quarante-sept années. Comme il avait déjà au moins vingt ans au moment de sa capture, cela lui donne aux environs de soixante-dix ans : un âge mûr pour un éléphant. Il se souvenait d'avoir, le front ceint d'un gros bourrelet de cuir, poussé pour dégager un canon profondément embourbé ; et c'était avant la guerre afghane de 1842, alors qu'il n'avait pas encore atteint l'apogée de sa force. Sa mère, Radha Pyari (Radha la Favorite), capturée en même temps que Kala Nag, lui avait dit, avant que ne soient tombées ses petites défenses de lait : à éléphant qui a peur arrive toujours malheur – sage mise en garde, comme le savait Kala Nag, car la première fois qu'il vit éclater un obus, il recula, en hurlant, sur les fusils disposés en faisceaux, et les baïonnettes s'enfoncèrent dans tous les endroits les plus tendres de son corps. Aussi, à vingt-cinq ans, avait-il déjà renoncé à la peur, ce qui lui valut d'être, de tous les éléphants employés au service du Gouvernement indien, le plus choyé et le mieux soigné. Il avait porté des tentes (six cents kilos de tentes) lors d'une campagne en Inde septentrionale ; on l'avait hissé au bout d'une grue à vapeur à bord d'un navire ; après des jours et des jours de traversée, on lui avait fait transporter un mortier sur le dos dans quelque contrée rocailleuse, très loin de l'Inde ; il avait vu l'empereur Théodore sur son lit de mort à Magdala ; après quoi, il était revenu par le même vapeur, méritant largement, selon les soldats, la médaille de la Guerre d'Abyssinie. Dix ans plus tard, il avait vu ses congénères mourir de froid, d'épilepsie, de faim, d'insolation, en un lieu dénommé Ali Musjid ; puis on l'avait expédié à des milliers de kilomètres au sud, aux chantiers de Moulmein, tirer et entasser d'énormes billes de teck. Là-bas, il avait à moitié massacré un jeune éléphant indiscipliné qui en faisait toujours le moins possible. Retiré alors du transport des bois de charpente, il participa, en compagnie de plusieurs dizaines de camarades spécialement entraînés, à la capture des éléphants sauvages dans les monts du Garo. Le Gouvernement indien se montre très strict pour tout ce qui touche aux éléphants. Un ministère entier ne s'occupe que de les chasser, capturer et dompter avant de les répartir aux quatre coins du pays, en fonction des besoins. Kala Nag mesurait trois bons mètres de hauteur au garrot. On lui avait scié les défenses à la longueur d'un mètre cinquante, avant d'en cercler de cuivre l'extrémité pour les empêcher de se fendre ; mais avec ces chicots il se débrouillait mieux que n'importe quel éléphant sauvage aux défenses intactes. Quand, au bout d'interminables semaines passées à rabattre avec précaution les éléphants éparpillés dans la montagne, les quarante ou cinquante monstres sauvages se trouvaient refoulés derrière la dernière palissade, et que la lourde herse de troncs ligaturés retombait derrière eux avec fracas, Kala Nag, au commandement, pénétrait au milieu de ce charivari de flammes et de barrissements (en général la nuit – l'évaluation correcte des distances étant gênée par le vacillement des torches) ; il choisissait alors dans le tas le plus gros des adultes, le mâle le plus farouche, qu'il malmenait, qu'il bousculait, qu'il obligeait en fin de compte à se calmer, pendant que les hommes juchés sur le dos des autres éléphants prenaient les plus jeunes au lasso et les attachaient. Kala Nag, le vieux et sage Serpent Noir, connaissait tous les secrets de la lutte, car, en son temps, il avait soutenu plus d'une fois la charge du tigre blessé : enroulant sa trompe molle pour la protéger, il avait soudain balancé la tête comme une faux (une technique de son invention), cueilli le fauve au bond et l'avait projeté sur le côté, puis renversé et écrasé sous le poids de ses genoux, jusqu'à ce que le tigre hurle, suffoque, expire : bientôt, il n'y avait plus par terre qu'une peluche à rayures qu'il tirait par la queue.

« Oui, dit Grand Toomai, son cornac, fils de Toomai le Noir, qui l'avait mené jusqu'en Abyssinie, et petit-fils de Toomai des Éléphants, qui avait été témoin de sa capture. A part moi, Serpent Noir n'a peur de rien ni de personne. Il a déjà vu trois générations de Toomai le nourrir et le panser, et il a le temps d'en voir quatre.

— Moi aussi je lui fais peur », dit Petit Toomai du haut de son mètre vingt.

Il avait dix ans et ne portait sur lui qu'un bout de chiffon. Selon la tradition, en qualité de fils aîné de Grand Toomai, c'est lui qui, à l'âge adulte, remplacerait son père sur le cou de Kala Nag et manierait le lourd *ankus* de fer, l'aiguillon pour éléphants, qu'avaient rendu parfaitement lisse les mains de son père, de son grand-père et de son arrière-grand-père. Il savait de quoi il parlait : car il était né à l'ombre de Kala Nag ; il avait joué avec le bout de sa trompe avant même de savoir marcher ; il l'avait emmené boire dès qu'il avait su marcher et Kala Nag n'aurait pas davantage songé à désobéir à ses petits ordres perçants qu'il n'aurait eu l'idée de le tuer le jour où Grand Toomai avait apporté le petit bébé basané jusque sous ses défenses en disant à l'éléphant de saluer son futur maître.

« Oui, dit Petit Toomai, moi, je lui fais peur. »

Et de s'approcher alors de Kala Nag à grands pas, pour le traiter de gros vieux cochon et lui faire lever les pieds l'un après l'autre.

« Ouah ! dit Petit Toomai, tu es un gros éléphant ! »

Et il secoua ses petites boucles duveteuses, en citant son père :

« Certes, le Gouvernement achète les éléphants ; mais c'est à nous, les mahouts, qu'ils appartiennent. Quand tu seras vieux, Kala Nag, il viendra quelque riche Rajah qui, séduit par ta belle taille et tes bonnes manières, te rachètera au Gouvernement : tu n'auras plus rien à faire alors qu'à porter des anneaux d'or aux oreilles, un *howdah* en or sur le dos, un drap rouge brodé d'or sur les flancs, et ouvrir les processions du Roi. Et moi, je serai assis sur ton cou, Kala Nag, un *ankus* d'argent à la main et des hommes armés de bâtons d'or courront devant nous en criant : "Place à l'éléphant du Roi !" Ce sera formidable, Kala Nag, mais moins que nos grandes battues d'aujourd'hui dans la Jungle.

— Peuh ! dit Grand Toomai. Tu n'es encore qu'un gamin, sauvage comme un jeune buffle. Il y a mieux à faire, au service du Gouvernement, que de galoper par monts et par vaux. Je commence à vieillir et n'ai aucune passion pour les éléphants sauvages. Ce que j'aime, moi, ce sont de bonnes écuries de brique, un éléphant par box, de grosses souches auxquelles les attacher solidement et de grandes routes plates pour l'exercice, au lieu de ces déménagements perpétuels. Ah! à la caserne de Cawnpore, là-bas, on était bien! Un bazar juste à côté, et pas plus de trois heures de travail par jour. »

Petit Toomai se souvenait des écuries d'éléphants de Cawnpore; il se tut. Il préférait de beaucoup la vie de camp; il les détestait, ces grandes routes plates, la corvée de foin quotidienne à pêcher dans le parc à fourrage et ces longues heures où il n'y avait rien d'autre à faire que regarder Kala Nag s'agiter au piquet. Ce que Petit Toomai aimait, lui, c'était l'escalade des chemins de traverse accessibles aux seuls éléphants; le plongeon dans une vallée; la vision fugitive des éléphants sauvages qui broutaient à des kilomètres de distance; le sauve-qui-peut du sanglier et du paon à l'approche de Kala Nag; le déluge aveuglant des pluies chaudes, lorsque fumaient monts et vallées; les beaux matins vaporeux, quand personne ne savait où l'on camperait le soir; la traque inlassable et prudente des éléphants sauvages, la course folle, le flamboiement, le fracas de la dernière nuit quand les éléphants se déversaient dans l'enclos des palissades, comme des blocs de rocher emportés par un glissement de terrain : conscients soudain d'être prisonniers, ils se jetaient contre les pieux massifs, avant de reculer sous l'assaut des cris, des torches vives, des salves de tir à blanc. Même là, un petit garçon pouvait se rendre utile et Toomai, à lui seul, en valait trois. Il empoignait sa torche, l'agitait et criait aussi fort que les hommes. Mais le moment de prédilection, c'était quand on entreprenait de faire sortir les éléphants : le Keddah, c'est-à-dire l'enclos, ressemblait alors à une vision d'apocalypse ; les hommes, incapables de s'entendre parler, étaient obligés de communiquer par gestes. Petit Toomai, ses cheveux bruns décolorés par le soleil flottant sur ses épaules, se perchait alors sur l'un des pieux branlants de la palissade, tel un lutin dans la lumière des torches ; à la première accalmie, on entendait ses cris stridents percer les barrissements, le tohu-bohu, le claquement des cordes et les protestations des éléphants entravés, pour encourager Kala Nag : « *Maîl,*

maîl, Kala Nag! (Sus! Sus! Serpent Noir!)
Dant do! (Donne-lui un bon coup de défense!)
Somalo! Somalo! (Attention! attention!)
Maro! Maro! (Cogne! cogne!) Prends garde
au pieu! *Arré! Arré! Hai! Yai! Kya-a-ah!* »
criait Petit Toomai : le grand combat entre
Kala Nag et l'éléphant sauvage roulait d'un
bord à l'autre du Keddah et les vieux pre-
neurs d'éléphants essuyaient la sueur qui
leur brûlait les yeux et trouvaient encore le
temps d'adresser un signe de tête à Petit
Toomai tout frétillant de plaisir en haut de
son pieu.

Il ne se contenta pas de frétiller. Un soir, il
se laissa glisser au pied de la palissade, se
faufila parmi les éléphants, ramassa le bout
d'une corde tombée par terre et le jeta à un
cornac qui cherchait à ligoter la patte d'un
éléphanteau rebelle (les jeunes donnent toujours plus de fil à retordre que les adultes).
Kala Nag aperçut Petit Toomai, le cueillit de
sa trompe et le hissa jusqu'à Grand Toomai,
qui le gifla séance tenante. Puis Kala Nag le
réinstalla sur son poteau.

Le lendemain matin, Grand Toomai lui fit
la leçon :

« Garder les éléphants dans de bonnes stalles en brique et porter de temps en temps la tente, ça ne te suffit pas, que tu te mêles maintenant d'en capturer de ton propre chef, petit vaurien? Et ces imbéciles de chasseurs, qui gagnent moins que moi, en ont parlé à Petersen Sahib. »

Petit Toomai eut peur. Il ne savait pas grand-chose des Blancs, mais, pour lui, Petersen Sahib était le plus grand homme blanc du monde. Chef de toutes les opérations dans le Keddah, c'est lui qui capturait tous les éléphants pour le Gouvernement indien et il connaissait les éléphants mieux que personne.

« Qu'est-ce… qu'est-ce qui va m'arriver?

— T'arriver? Le pire qui puisse arriver. Petersen Sahib est fou. Est-ce qu'il chasserait ces diables sauvages, sinon? Peut-être même qu'il te forcera à devenir chasseur d'éléphants à ton tour, à dormir n'importe où dans les miasmes des jungles, pour mourir piétiné dans l'enceinte du Keddah. Heureusement que ces bêtises se terminent sans dégâts. La semaine prochaine on arrête la capture et nous, les gars des plaines, nous réintégrons notre garnison. A nous, les routes lisses! et nous oublierons tout de ces battues. Mais je ne suis pas content, mon fils, que tu te mêles de ce qui regarde uniquement ces sauvages, ces crasseux, dans leurs jungles de l'Assam. Kala Nag n'obéit qu'à moi : je suis donc bien obligé de l'accompagner dans le Keddah, mais lui, c'est un éléphant de combat; on ne s'en sert pas pour prendre les autres au lasso. Par conséquent, je reste tranquillement assis, comme il sied à un mahout – et non un vulgaire chasseur –, quelqu'un qui reçoit une pension à la fin de ses années de service. La famille de Toomai des Éléphants va-t-elle se faire piétiner dans la crotte d'un Keddah? Vilain! Méchant! Fils indigne! Va laver Kala Nag, occupe-toi de ses oreilles et regarde s'il a des épines dans les pieds; sinon, c'est sûr, Petersen Sahib t'attrapera et fera de toi un chasseur, un sauvage, un pisteur d'éléphants, un ours de la Jungle! Pouah! quelle honte! Allez, va! »

Petit Toomai s'en fut sans broncher; mais il raconta toutes ses misères à Kala Nag, pendant qu'il lui examinait les pieds.

« Je m'en fiche, dit Petit Toomai en retournant l'ourlet de la gigantesque oreille droite. Ils ont parlé de moi à Petersen Sahib et peut-être... peut-être... peut-être... qui sait ? *Hai !* Je viens de te retirer une de ces épines ! »

On consacra les quelques jours suivants à rassembler les éléphants, à faire marcher les nouvelles captures entre deux éléphants apprivoisés, pour les empêcher de semer trop le désordre pendant qu'on redescendrait vers les plaines ; à dresser l'inventaire des couvertures, cordes, objets divers, usés ou perdus en forêt. Petersen Sahib fit son apparition juché sur son éléphante, l'intelligente Pudmini ; il était passé payer d'autres camps dans les monts, car la saison s'achevait. Un commis indigène, assis à une table sous un arbre, versait leur paie aux cornacs. Sitôt payé, chaque homme retournait à son éléphant et prenait place dans la colonne prête au départ. Les traqueurs, chasseurs et rabatteurs, les hommes affectés au Keddah (eux restaient d'une année à l'autre dans la Jungle), juchés sur les éléphants appartenant aux forces permanentes de Petersen Sahib, ou adossés aux arbres, le fusil sur le bras, se moquaient des cornacs qui repartaient et s'esclaffaient dès qu'une nouvelle prise sortait du rang pour courir partout. Grand Toomai se présenta devant l'employé, suivi de Petit Toomai ; Machua Appa, le chef pisteur, chuchota à l'un de ses amis :

« En voilà un au moins qui s'y connaît en éléphants ! Quel dommage d'envoyer ce jeune coq de jungle muer dans les plaines ! »

Or, Petersen Sahib avait des oreilles partout, comme il sied à qui passe sa vie à guetter le plus silencieux de tous les êtres vivants : l'éléphant sauvage. Allongé de tout son long sur le dos de Pudmini, il se tourna et dit :

« Qu'est-ce que vous dites ? Un homme chez les cornacs de plaine assez futé pour passer une corde autour d'un éléphant, même mort ? Première nouvelle !

— Il ne s'agit pas d'un homme, mais d'un petit garçon. Il est entré dans le Keddah à la dernière battue et a lancé la corde à Barmao ici présent, alors qu'on essayait de séparer de sa mère l'éléphanteau qu'on voit là-bas, avec la tache sur l'épaule. »

Machua Appa désigna du doigt Petit Toomai. Petersen Sahib regarda. Petit Toomai s'inclina jusqu'à terre.

« Lui, lancer une corde ? Il n'est pas plus haut qu'un piquet de mule ! comment t'appelles-tu, petit ? » dit Petersen Sahib.

Petit Toomai avait trop peur pour ouvrir la bouche ; mais Kala Nag était derrière lui : il fit un geste de la main ; aussitôt, l'éléphant le hissa, dans sa trompe, à la hauteur du front de Pudmini, en face du grand Petersen Sahib. Petit Toomai se cacha la figure dans les mains, car ce n'était encore qu'un enfant, et le plus timide des enfants, dès qu'il ne s'agissait plus d'éléphants.

« Tiens, tiens ! dit Petersen Sahib en souriant sous sa moustache. Et dans quel but as-tu appris ce tour-là à ton éléphant ? Pour qu'il t'aide, par exemple, à voler les épis de maïs qu'on met à sécher sur le toit des maisons ?

— Pas le maïs, Protecteur des Pauvres !... les melons ! » dit Petit Toomai.

Tous les hommes assis à l'entour éclatèrent de rire. Eux aussi, pour la plupart, avaient, à l'âge tendre, enseigné ce tour à leurs éléphants. Suspendu à deux bons mètres en l'air, Petit Toomai n'avait qu'une envie : être à deux mètres sous terre !

« C'est Toomai, mon fils, Sahib ! dit Grand

Toomai en faisant la grimace. C'est un très vilain garçon et il finira en prison, Sahib.

— Ça m'étonnerait, dit Petersen Sahib. Un garçon qui ose, à son âge, affronter tout un Keddah ne finit pas en prison. Tiens, mon petit, voici quatre annas pour t'acheter des bonbons, parce que cette masse de cheveux cache une toute petite tête encore. Avec le temps, tu pourras devenir chasseur, à ton tour. (Grand Toomai fit encore plus la grimace.) Rappelle-toi quand même qu'il ne fait pas bon pour les petits de jouer dans les Keddahs.

— Je ne dois jamais y aller, Sahib? » demanda Petit Toomai d'une voix étranglée.

Petersen Sahib eut un nouveau sourire :

« Quand tu auras vu les éléphants danser! Alors, le moment sera venu. Viens me voir quand tu auras vu les éléphants danser et alors je te laisserai pénétrer dans tous les Keddahs. »

Nouvel éclat de rire général. Car il s'agit là d'une vieille plaisanterie chez les traqueurs d'éléphants – une façon de dire « jamais ». Il est, au fond des forêts, de grandes clairières planes, qu'on appelle les salles de bal des éléphants. Et on ne les découvre que par hasard. Jamais personne n'a vu les éléphants danser. Lorsqu'un cornac se vante de son adresse et de sa bravoure, ses collègues lui rétorquent :

« Oui, et t'as déjà vu, toi, les éléphants danser ? »

Kala Nag redéposa Petit Toomai par terre. L'enfant se prosterna une deuxième fois jusqu'au sol, avant de s'éloigner avec son père. Il remit la pièce d'argent de quatre annas à sa mère, qui était en train de donner le sein à son petit frère. Toute la famille fut hissée sur le dos de Kala Nag et la colonne des éléphants, qui grognaient et couinaient, s'ébranla en se balançant sur le chemin redescendant vers la plaine. Le trajet fut plutôt agité, à cause des nouveaux éléphants, qui regimbaient dès qu'il fallait franchir un gué, et avaient besoin d'être rassurés ou battus toutes les deux minutes.

Grand Toomai, furieux, piquait Kala Nag avec dépit. Mais Petit Toomai était muet de bonheur : Petersen Sahib l'avait remarqué et lui avait donné de l'argent ! Il éprouvait la joie du simple soldat que son commandant en chef fait sortir du rang et félicite.

« Qu'a voulu dire Petersen Sahib avec la danse des éléphants ? » finit-il par demander tout bas à sa mère.

Grand Toomai l'entendit et ronchonna :

« Que tu ne dois jamais devenir l'un de ces buffles de montagne de traqueurs ! Voilà ce qu'il a voulu dire. Eh ! toi, là, devant ! Pourquoi tu n'avances pas ? »

A deux ou trois éléphants devant eux, un cornac de l'Assam se retourna, furieux, et cria :

« Amène Kala Nag par ici, qu'il me cogne ce morveux et lui apprenne à se tenir ! Pourquoi faut-il que Petersen Sahib m'ait choisi, moi, pour descendre avec vous, ânes bâtés des rizières ? Amène Kala Nag contre ma bête, Toomai, qu'il lui fasse un peu tâter de ses défenses ! Par tous les dieux de la Montagne, ces nouveaux éléphants sont possédés du démon… à moins qu'ils ne flairent leurs compagnons dans la Jungle… »

Kala Nag assena au nouveau un grand coup dans les côtes, à lui en couper le souffle, pendant que Grand Toomai disait :

« Nous avons nettoyé la montagne de tous les éléphants sauvages, lors de la dernière expédition. Tu ne fais pas attention où tu les mènes, c'est tout! C'est à moi maintenant de faire la police tout le long de la colonne?

— Oh! vous l'entendez, lui! dit l'autre cornac. "Nous avons nettoyé la montagne…" Oh! oh! vous, les gars des plaines, vous êtes de gros malins. Mais seul un corniaud qui n'a jamais mis les pieds dans la Jungle peut ignorer ce qu'ils n'ignorent pas, eux : que les battues sont terminées pour la saison. Alors, ce soir, tous les éléphants sauvages vont… Mais à quoi bon gaspiller ses connaissances pour une tortue d'eau douce?

— Ils vont faire quoi? lança Petit Toomai.

— Ohé! Le petit! tu es là? Bon, je vais te le dire, à toi, parce que tu n'es pas une tête brûlée. Ils vont danser! Et ton père, qui a nettoyé toute la montagne de tous les éléphants, sera bien inspiré de mettre double chaîne à ses piquets ce soir.

— Qu'est-ce qu'il raconte? dit Grand Toomai. Danser? Ça fait quarante ans, de père en fils, que nous nous occupons d'éléphants, et nous n'avons jamais entendu pareilles sornettes!

— Évidemment… quand on habite une

cabane en plaine, on ne connaît rien au-delà des murs de sa cabane. Bon, très bien : ne mets pas d'entraves à tes éléphants ce soir, tu verras bien. Si je dis qu'ils dansent, c'est que j'ai vu de mes propres yeux l'endroit où... *Bapree bap !* Ce Dihang, il a combien de méandres au juste ? Encore un gué ! il va falloir faire nager les petits. Ne poussez pas, derrière ! »

Ils discutaient ; ils se disputaient ; ils pataugeaient à travers les rivières ; et c'est ainsi qu'ils arrivèrent, au terme de leur première étape, à une sorte de camp de transit pour les nouveaux éléphants. Mais ils avaient perdu patience bien avant d'y parvenir !

Là, on enchaîna les éléphants, par une patte de derrière, aux grosses souches qui servaient de piquets ; on renforça les cordes des nouveaux ; on entassa le fourrage devant eux et les cornacs des monts s'en retournèrent vers Petersen Sahib sous le soleil de l'après-midi, non sans recommander aux cornacs des plaines de redoubler de vigilance cette nuit-là. Mais quand les cornacs des plaines leur en demandèrent la raison, ils se contentèrent de rire.

Petit Toomai s'occupa de donner à manger à Kala Nag. Au crépuscule, il partit explorer le camp, à la recherche d'un petit tam-tam : il éprouvait un bonheur ineffable. Quand un petit Indien a le cœur en liesse, il ne court pas partout en s'excitant bruyamment. Il s'assoit par terre et s'offre une sorte de petite fête personnelle.

Petit Toomai s'était vu adresser la parole par Petersen Sahib ! Si l'enfant n'avait trouvé ce qu'il cherchait, je crois qu'il en serait tombé malade. Mais le marchand de bonbons du camp lui prêta un petit tam-tam : un tambour que l'on bat du plat de la main. Et sous les premières étoiles, Petit Toomai vint s'asseoir en tailleur par terre devant Kala Nag, le tam-tam entre les cuisses, et se mit à tambouriner de tout son cœur. Plus il songeait au grand honneur dont il avait été l'objet, plus il tambourinait, tout seul au milieu du fourrage des éléphants. Il n'y avait ni mélodie ni paroles, mais le *tam-tam* le rendait heureux. Les nouveaux éléphants tiraient à l'envi sur les cordes, piaulaient, barrissaient de temps à autre. Petit Toomai entendait sa mère dans la hutte du camp endormir son petit frère avec une vieille, très vieille chanson sur le grand dieu Shiva, qui fit jadis savoir à tous les animaux ce qu'ils devaient manger. C'est une berceuse très apaisante, dont voici le premier couplet :

Shiva, qui fit gonfler les grains, souffler les vents,
Assis au temps jadis aux portes du levant,
A tous donna leur part : destin, vivres, travail,
Du Roi sur son *guddee* au Mendiant du portail.
    On lui doit tout – Shiva le Donateur !
    Oui ! Tout ! Mahadeo ! Mahadeo !
    Les bestiaux, l'herbe, l'épine, le chameau –
    Et toi, mon sein, quand tu t'endors, mon cœur !

Petit Toomai ponctuait chaque couplet d'un joyeux *boum-boum-boum*. Puis il finit par avoir sommeil et s'allongea sur le foin à côté de Kala Nag. Enfin, un par un, selon leur habitude, les éléphants se couchèrent : bientôt, il ne resta plus debout que Kala Nag, à droite de la ligne. Il se berçait doucement, les oreilles ramenées en avant pour écouter les souffles de la nuit caressant la montagne. L'air vibrait de tous les bruits nocturnes, qui, mêlés, ne font plus qu'un seul et grand silence : deux tiges de bambou qui s'entrefroissent, le bruissement d'un animal dans les taillis, un oiseau à moitié réveillé qui gratte et glousse (la nuit, les oiseaux veillent bien plus souvent qu'on ne l'imagine) et, très loin, une cascade. Petit Toomai dormit un bon moment. A son réveil, il y avait un clair de lune splendide ; Kala Nag était toujours debout, les oreilles tendues. Petit Toomai se retourna dans la paille sèche : il regarda ce dos énorme se profiler sur le ciel et masquer la moitié des étoiles ; en même temps il entendit loin, très loin – piqûre d'épingle dans le silence –, comme un ululement, l'appel retentissant d'un éléphant sauvage. Tous les éléphants au piquet se relevèrent d'un bond comme s'ils venaient de recevoir un coup de fusil. Leurs grognements finirent par réveiller les cornacs endormis, qui sortirent enfoncer à coups de gros maillets les chevilles des piquets, resserrer une corde ici, en nouer une autre là, jusqu'à ce que le calme revienne. L'un des nouveaux éléphants avait presque complètement arraché son piquet : Grand Toomai ôta sa chaîne à Kala Nag et s'en servit pour l'autre éléphant en reliant ensemble un pied de devant et un de derrière ; mais il se contenta de passer une cordelette en fibre de cocotier à la patte de Kala Nag, en lui disant de ne pas oublier qu'il était solidement attaché. Il savait que son père, son grand-père et lui-même avaient fait de même plusieurs centaines de fois. Kala Nag ne répondit pas à cette mise en garde par son gargouillement habituel. Immobile sous la lune, la tête légèrement levée et les oreilles en éventail, il regardait au loin les grands plis des monts du Garo.

« Occupe-toi de lui s'il s'agite cette nuit », dit Grand Toomai à Petit Toomai, avant de retourner dormir à l'intérieur de la hutte.

Petit Toomai était sur le point de s'endormir, lui aussi, lorsqu'il entendit le petit « ting » de la cordelette qui se rompait. Alors, Kala Nag se dégagea de son piquet, lent et silencieux, tel un nuage se dégageant d'une vallée. Petit Toomai, pieds nus, trottinait derrière lui sur la route éclairée par la lune, appelant tout bas :

« Kala Nag! Kala Nag! Emmène-moi avec toi, ô Kala Nag! »

Sans un bruit, l'éléphant se retourna, revint en trois pas jusqu'au petit garçon, abaissa la trompe et d'un ample mouvement le hissa sur son cou. Et sans même attendre que Petit Toomai ait calé ses genoux, il se glissa dans la forêt.

Il s'éleva, des piquets, une fanfare de barrissements furieux. Puis le silence vint de nouveau tout recouvrir. Et Kala Nag se mit en route. Tantôt, de hautes herbes lui léchaient les flancs, comme une vague vient lécher ceux d'un navire ; tantôt, une grappe de poivrier sauvage lui raclait le dos, un bambou crissait au frôlement de son épaule ; mais, entre-temps, il se mouvait sans le moindre bruit dans l'épaisse forêt du Garo comme à travers de la fumée. Il montait, mais Petit Toomai avait beau regarder les étoiles dans la trouée des arbres, il n'arrivait pas à s'orienter. Parvenu à la crête, Kala Nag s'arrêta une minute : l'enfant eut soudain sous les yeux la fourrure mouchetée d'une immensité d'arbres aux cimes baignées de lune et la brume bleutée qui noyait la rivière au fond de la vallée. Toomai se pencha en avant pour contempler le paysage ; il sentit la forêt, à ses pieds, éveillée, vivante, grouillante. Une de ces grosses roussettes

mangeuses de fruits lui frôla l'oreille ; les piquants d'un porc-épic cliquetèrent dans les
fourrés et, dans l'obscurité, entre les troncs,
un sanglier fouillait activement la chaude
terre humide et reniflait en même temps.
Puis la voûte des branches se referma au-
dessus de sa tête : Kala Nag descendit dans
la vallée, non point, cette fois, en douceur,
mais comme un canon fou dévale un talus à
pic – à toute vitesse. Les énormes membres
se mouvaient avec une régularité de pistons,
à raison de plus de deux mètres par foulée,
avec des froissements de peau fripée au pli
des articulations. Sur son passage, les broussailles s'éventraient avec un bruit de toile dé-
chirée et les arbustes qu'il repoussait des
épaules se rabattaient en lui cinglant les
flancs ; de grands rubans de lianes enchevê-
trées pendaient à ses défenses, tandis qu'à
grands coups de tête balancés, il défrichait
son chemin. Petit Toomai s'aplatit alors
contre l'énorme cou, de peur que le retour
d'une branche ne le jetât à terre : comme il
aurait aimé être de retour au camp des éléphants ! L'herbe commença à devenir maré-
cageuse : les pieds de Kala Nag faisaient

ventouse avec un bruit de succion ; le brouillard nocturne, au fond de la vallée, transit Petit Toomai. Il y eut un gros floc, un piétinement, la fuite d'une eau vive, et Kala Nag franchit à grandes enjambées le lit d'une rivière, en tâtant le terrain à chaque pas. Le courant tourbillonnait bruyamment autour des pattes de l'éléphant, mais Petit Toomai entendait aussi patauger et barrir en amont comme en aval, grogner fort et renâcler de colère, et la brume qui les enveloppait semblait tout entière peuplée comme d'une houle d'ombres.

« *Ai !* dit-il à mi-voix en claquant des dents. Les éléphants sont de sortie cette nuit ! C'est donc bien la danse, alors ! »

Kala Nag sortit de la rivière dans un grand ruissellement, expulsa toute l'eau de sa trompe et recommença à grimper. Mais cette fois, il n'était pas seul et n'avait plus à frayer son chemin : celui-ci s'ouvrait, sur une largeur de deux mètres, tout tracé, droit devant lui, là où les herbes de la Jungle tentaient de reprendre vie et de se redresser. Il avait dû passer par là quantité d'éléphants, quelques minutes auparavant. Petit Toomai se retourna : à cet instant précis, derrière lui, un grand mâle sauvage, dont les petits yeux de cochon brillaient comme des charbons ardents, émergeait de la rivière embrumée. Puis, derechef, les arbres refermèrent leur voûte. Ils continuèrent leur ascension. De tous côtés, on entendait passer en force, barrir, des branches se casser. Enfin, parvenu au sommet de la montagne, Kala Nag s'immobilisa entre deux troncs qui faisaient partie d'un cercle d'arbres entourant une aire mal définie de trois ou quatre arpents, dont le sol, à ce que vit Petit Toomai, était devenu dur comme de la brique à force d'être piétiné. Les quelques arbres qui poussaient au centre de la clairière avaient été dépouillés de leur écorce et le bois blanc, mis à nu, brillait, parfaitement lisse, sous les rayons de lune. Des hautes branches, retombaient des lianes dont les cloches, sortes d'énormes liserons blanchâtres, pendaient sous le poids du sommeil. Mais, dans le périmètre de la clairière, il n'y avait pas le moindre brin de verdure, rien que la terre foulée, d'un gris fer uniforme sous la lune, sauf aux endroits où se tenaient des éléphants, qui y projetaient une ombre d'encre. Les yeux exorbités, Petit Toomai regardait et retenait son souffle. Devant lui, de plus en plus d'éléphants sortaient d'entre les troncs dans un grand balancement pour s'avancer à découvert. Petit Toomai ne savait compter que jusqu'à dix ; il compta et recompta sur ses doigts, finit par se perdre dans ses dizaines et fut pris de vertige. A l'extérieur de la clairière, il entendait dans le sous-bois le fracas des éléphants qui gravissaient la pente ; mais dès qu'ils pénétraient dans le cercle des troncs, ils évoluaient comme des ombres.

Il y avait là des mâles sauvages aux défenses étincelantes, les replis du cou et l'ourlet des oreilles encombrés de feuilles, de baies, de brindilles arrachées aux arbres ; de grasses femelles au pas lent, accompagnées de petits d'un noir rosâtre, hauts d'un mètre ou d'un mètre cinquante à peine, qui bougeaient sans arrêt et leur couraient sous le ventre ; de jeunes éléphants très fiers de leurs défenses, qui commençaient à pointer ; des éléphantes restées vieilles filles, efflanquées, décharnées, les joues creuses, les traits tirés et la trompe semblable à une écorce

rugueuse; de vieux mâles farouches, zébrés, de l'épaule au flanc, de cicatrices, d'estafilades, vestiges des combats d'antan, la boue durcie de leurs bains solitaires pendant de leurs épaules; il y en avait un avec une défense cassée et le flanc sauvagement labouré par les griffes d'un tigre reçu de plein fouet. Ils se faisaient face; ils arpentaient l'espace par couples ou bien restaient à se balancer, à se bercer tout seuls. Il y en avait des dizaines et des dizaines. Tant qu'il resterait couché sans bouger sur le cou de Kala Nag, Toomai savait qu'il ne risquait rien; car même au plus fort de la mêlée dans le Keddah, jamais un éléphant sauvage ne lève la trompe pour arracher un homme du cou d'un éléphant domestiqué; et les éléphants rassemblés cette nuit-là ne pensaient pas aux hommes. Soudain, ils entendirent tinter une chaîne dans la forêt : ils sursautèrent; leurs oreilles s'écartèrent; mais c'était Pudmini, la favorite de Petersen Sahib, les fers sectionnés ras, qui montait la pente en grognant et reniflant. Elle devait avoir brisé ses entraves et venir directement du camp de Petersen Sahib; Petit Toomai vit encore un autre éléphant, qu'il ne connaissait pas, l'échine et le poitrail meurtris de profondes traces de corde. Lui aussi s'était sans doute échappé de quelque camp des monts environnants.

Enfin, on n'entendit plus aucun éléphant marcher dans la forêt ; Kala Nag, le pas balancé, se dégagea d'entre les arbres pour rejoindre la foule avec des gloussements, des glouglous. Et tous les éléphants se mirent à parler dans leur langue et à se déplacer. Toujours couché, Petit Toomai avait une vue plongeante sur les dizaines et les dizaines de grands dos noirs, d'oreilles battantes, de trompes ballottées et de petits yeux mobiles. Il entendait le cliquetis des défenses quand elles venaient à s'entrechoquer, le bruissement des trompes rêches enlacées, le rude frottement d'épaules ou de flancs massifs dans la cohue et l'incessant chuintement des grandes queues ponctué de petites claques. Soudain un nuage masqua la lune et ce fut la nuit noire ; mais les frôlements, poussées et gargouillements n'en cessèrent pas pour autant, continus et contenus. L'enfant savait Kala Nag entouré d'éléphants et nulles ses chances de le soustraire à reculons à l'assemblée : il serra les mâchoires et frissonna. Au moins, dans un Keddah, il y avait des torches, des cris… Ici, il était tout seul dans le noir. A un moment, une trompe vint le toucher au genou. Puis un éléphant lança un barrissement, repris en chœur par tous les autres pendant cinq ou dix terrifiantes secondes. La rosée tombait en pluie des arbres et crépitait sur les échines invisibles ; des coups sourds et monotones commencèrent à retentir alors, pas très fort au début. Petit Toomai était incapable d'en deviner la nature ; mais le bruit ne cessa de s'amplifier ; Kala Nag souleva un pied, par-devant, puis l'autre, et vint en frapper le sol en cadence, une-deux, une-deux, comme un marteau-pilon. A présent, les éléphants tapaient des pieds à l'unisson. On eût dit un tambour de guerre battu à l'entrée d'une caverne. Déjà, la dernière goutte de rosée était tombée des arbres, mais le tambourinement continuait ; le sol ébranlé frémissait. Petit Toomai se boucha les oreilles pour ne plus entendre les coups. Toutefois, son corps entier résonnait d'un gigantesque tambourinage : le heurt sur la terre nue de ces centaines de pieds massifs. Une fois ou deux, il sentit Kala Nag et tous ses compagnons partir en avant de quelques pas. Alors, aux coups sourds succédait un bruit de verdure juteuse qu'on écrase ; mais, au bout d'une minute ou deux, reprenait le choc des pieds sur la terre compacte. Petit Toomai entendit près de lui grincer, gémir un arbre. Il tendit la main, toucha l'écorce, mais Kala Nag avança, sans cesser de frapper des pieds. Petit Toomai ne savait plus où il se trouvait dans la clairière. Les éléphants ne faisaient plus le moindre bruit. Une fois seulement, deux ou trois éléphanteaux couinèrent en chœur. Puis Petit Toomai entendit un coup sourd, un frottement de pieds, et le tambourinement recommença. Cela dura bien deux bonnes heures ; Petit Toomai avait chaque nerf à vif. Mais il devina, dans l'air nocturne, l'approche de l'aube.

Le jour parut : un pan uni de jaune pâle derrière les collines vertes. Le martèlement cessa dès le premier rayon, comme si la lumière avait été un ordre. La tête de Petit Toomai résonnait encore et il n'avait même pas eu le temps de changer de position qu'il n'y avait plus en vue un seul éléphant, sauf

Kala Nag, Pudmini et l'éléphant aux chairs entaillées par les cordes. Nul signe, nul bruissement, nul murmure sur les pentes des monts n'indiquait où étaient partis les autres. Petit Toomai n'en croyait pas ses yeux : la clairière, telle qu'il se la rappelait, s'était élargie pendant la nuit. On comptait plus d'arbres au centre. Mais, sur le pourtour, le tapis de broussailles et d'herbes de la Jungle avait été roulé plus loin. Encore une fois, Petit Toomai écarquilla les yeux. Il comprenait maintenant le rôle du pilonnage. Les éléphants avaient agrandi leur aire ; leurs sabots avaient réduit l'herbe épaisse et la canne juteuse à l'état de litière, puis cette litière en fibres, les fibres en fibrilles et les fibrilles en sol compact.

« Ouah ! dit Petit Toomai, les paupières lourdes. Kala Nag, monseigneur, restons avec Pudmini et allons au camp de Petersen Sahib, sinon je vais tomber de ton cou. »

Le troisième éléphant regarda partir les deux autres, s'ébroua, fit demi-tour et partit de son côté. Peut-être appartenait-il à la maison de quelque roitelet indigène, à quatre-vingts, cent ou cent cinquante kilomètres de là.

Deux heures plus tard, comme Petersen Sahib prenait son petit déjeuner, ses éléphants, dont les chaînes avaient été doublées cette nuit-là, se mirent à barrir : Pudmini, crottée jusqu'aux épaules, rentra au camp en se traînant, comme Kala Nag, sur ses pieds endoloris. Petit Toomai, le teint cendreux, les traits pincés, les cheveux pleins de feuilles et trempés de rosée, essaya malgré tout de saluer Petersen Sahib et lança d'une voix défaillante :

« La danse !... la danse des éléphants ! Je l'ai vue et... mais je meurs ! »

Au moment où Kala Nag s'agenouilla, Petit Toomai glissa de son cou, inconscient.

Mais, les enfants indigènes ignorant pratiquement tout du trac, deux heures plus tard, Petit Toomai, couché, béat, dans le hamac de Petersen Sahib, la veste de chasse de Petersen Sahib sous la tête, un verre de lait chaud, trois gouttes de cognac et une pincée de quinine dans le ventre, tandis que les vieux chasseurs des jungles, poilus et balafrés, assis devant lui sur trois rangs, le regardaient comme un revenant, leur narra son aventure en quelques mots, à la manière des enfants, et conclut :

« Et si j'ai dit un seul mot de mensonge, envoyez quelqu'un voir, et on trouvera que les éléphants, en piétinant le sol, ont agrandi leur salle de bal et on trouvera dix et dix et beaucoup de fois dix chemins qui mènent à cette salle de bal. Ils l'ont agrandie avec leurs pieds. Je les ai vus. Kala Nag m'a emmené et je les ai vus. Même que Kala Nag a les jambes en coton… »

Petit Toomai se recoucha. Les longues heures de l'après-midi s'écoulèrent ; le crépuscule tomba : Petit Toomai dormait encore. Entre-temps, Petersen Sahib et Machua Appa suivirent la piste des deux éléphants sur une bonne vingtaine de kilomètres à travers la montagne. Petersen Sahib capturait les éléphants depuis dix-huit ans ; or, il n'avait découvert qu'une seule fois semblable salle de bal. Machua Appa n'eut pas besoin de regarder deux fois la clairière pour savoir ce qui s'y était passé, ni de gratter du bout de l'orteil la terre tassée, damée.

« Le petit a dit vrai, déclara-t-il. Tout cela remonte à la nuit passée, et j'ai compté soixante-dix pistes franchissant la rivière. Sahib, regardez cet arbre : l'anneau de fer de

Pudmini en a tranché l'écorce. Oui! elle aussi, elle était là! »

Leurs regards se croisèrent et embrassèrent la clairière, médusés. Car les voies des éléphants dépassent l'entendement de l'homme, noir ou blanc.

« Voilà quarante et cinq années, dit Machua Appa, que je suis Son Altesse l'Éléphant, mais je n'ai jamais entendu dire qu'un enfant d'homme ait vu ce qu'a vu cet enfant. Par tous les dieux de la Montagne, c'est... comment dire? »

Et il secoua la tête.

Ils arrivèrent au camp pour le dîner. Petersen Sahib mangea seul sous sa tente, mais il donna l'ordre de distribuer aux hommes deux moutons, des volailles, double ration de farine, de riz et de sel, car il savait qu'il y aurait fête. Grand Toomai, remonté précipitamment du camp des plaines à la recherche de son fils et de son éléphant, à présent qu'il les avait retrouvés, les regardait comme s'il en avait peur. On fit donc ripaille autour des grands feux de camp, devant les éléphants alignés au piquet. Petit Toomai fut le héros de la nuit. Les grands chasseurs basanés, traqueurs, cornacs, lanceurs de cordes et ceux qui connaissaient tous les secrets pour dompter les éléphants les plus farouches, se le firent passer de bras en bras et le marquèrent au front avec le sang du cœur d'un coq de jungle fraîchement tué, afin de le consacrer fils de la forêt, initié et citoyen d'honneur de toutes les jungles.

Et, à la fin, quand moururent les flammes et qu'à la lueur des bûches rougeoyantes l'on eût dit les éléphants sortis eux aussi d'un bain de sang, Machua Appa, le chef de tous les rabatteurs de tous les Keddahs – Machua Appa, l'*alter ego* de Petersen Sahib, qui, en quarante ans, n'avait jamais vu de route terrassée, Machua Appa, d'un tel renom que personne ne l'appelait autrement que Machua Appa –, se leva d'un bond, Petit Toomai hissé à bout de bras au-dessus de sa tête, et s'écria :

« Écoutez, mes frères ! Écoutez, vous aussi, messeigneurs, qui êtes là, dans vos entraves ! car je parle, moi, Machua Appa ! Désormais ce petit bonhomme ne s'appellera plus Petit Toomai, mais Toomai des Éléphants, comme son arrière-grand-père s'appelait avant lui.

Ce que jamais homme ne vit, il l'a vu, lui, au cours de cette longue nuit, et la grâce du peuple des éléphants et des divinités des Jungles l'accompagne. Il deviendra un grand traqueur ; il deviendra même plus grand que moi, oui, que moi, Machua Appa ! Il suivra la voie chaude, la voie froide, la voie brouillée, d'un œil infaillible ! Il ne lui arrivera jamais rien de mal dans le Keddah au moment de courir sous le ventre des mâles sauvages pour les ligoter ; et s'il glisse devant l'éléphant mâle qui charge, l'éléphant mâle le reconnaîtra et ne l'écrasera pas. *Aihai !* messeigneurs enchaînés (et il parcourut comme un tourbillon toute la ligne des piquets), je vous présente le petit bonhomme qui vous a vus danser au fond de vos retraites – le spectacle que jamais homme ne contempla ! Rendez-lui les honneurs, messeigneurs ! *Salaam karo !* –, mes enfants ! Saluez Toomai des Éléphants ! Gunga Pershad, ahaa ! Hira Guj, Birchi Guj, Kuttar Guj, ahaa ! Pudmini – tu l'as vu, toi, au bal, et toi aussi, Kala Nag, ma perle de tous les Éléphants ! – ahaa ! Tous ensemble ! Pour Toomai des Éléphants ! *Barrao !* »

A ce dernier cri farouche, d'un bout à l'autre de la ligne, toutes les trompes se dressèrent jusqu'à toucher les fronts ; puis retentit le grand salut d'honneur – la fanfare suprême des barrissements – auquel seul a droit le Vice-Roi des Indes, le Salaamut du Keddah !

Mais c'était en l'honneur exclusif de Petit Toomai, qui avait vu ce que nul homme avant lui n'avait vu : la danse des éléphants, la nuit, et tout seul, au cœur des monts du Garo !

Shiva et le Criquet

(La Chanson que chantait à son Bébé
la Maman de Toomai)

Shiva, qui fit gonfler les grains, souffler les vents,
Assis au temps jadis aux portes du levant,
A tous donna leur part : destin, vivres, travail,
Du Roi sur son *guddee* au Mendiant du portail.
    On lui doit tout – Shiva le Donateur !
    Oui ! Tout ! Mahadeo ! Mahadeo !
    Les bestiaux, l'herbe, l'épine, le chameau,
    Et toi, mon sein, quand tu t'endors, mon cœur !

Au pauvre il a donné le mil ; le blé au riche ;
Au saint homme mendiant un régime plus chiche ;
Au tigre le bétail ; au milan la charogne ;
Et le rebut au loup qui la nuit rôde et grogne.
Aucun n'est trop noble à ses yeux ; aucun indigne.
Parvati voit alors la foule qui s'aligne,
Et pour rendre Shiva, son époux, ridicule,
Dissimule en son sein le Criquet minuscule.
    Elle a trompé Shiva le Donateur.
    Tu vois ? Mahadeo ! Mahadeo !
    Gros sont les bestiaux ; grands sont les
                    [chameaux –
    Mais un criquet, ce n'était rien, mon cœur !
Quand tous furent passés, rieuse elle observa :
« Maître de toute bouche, une encor crie famine ! »

« Mais non ! Tous sont servis ! rit à son tour Shiva –
Même le Minuscule caché sous ta poitrine. »
Parvati la voleuse doit avouer son larcin.
Mais le Criquet, merveille ! tel qu'il ressort du sein,
Mordille une herbe neuve. Elle alors s'épouvante
Et prie le Nourricier de toute âme vivante.

     On lui doit tout – Shiva le Donateur !
     Oui ! Tout ! Mahadeo ! Mahadeo !
     Les bestiaux, l'herbe, l'épine, le chameau,
     Et toi, mon sein, quand tu t'endors, mon cœur !

7

Serviteurs de la Reine

Fractions, Règle de Trois, essaie donc, je te dis ;
Mais jamais Tweedle-dum ne sera Tweedle-dee.
Essaie par la fenêtre, essaie donc par la porte !
Jamais Pilly-Winky ne sera Winkie-Pop !

Il pleuvait depuis un mois entier. Il pleuvait sur un camp de trente mille hommes, de
milliers de chameaux, d'éléphants, de chevaux, de bœufs et de mulets, tous réunis en
un lieu nommé Rawal Pindi, où le Vice-Roi
des Indes devait les passer en revue. Il
recevait la visite de l'Émir d'Afghanistan ; roi

farouche d'un pays très farouche, l'Émir avait amené avec lui comme gardes du corps huit cents hommes et autant de chevaux, qui n'avaient jamais vu de leur vie ni un camp militaire ni une locomotive : hommes et chevaux impétueux, sortis du fin fond de l'Asie centrale. Chaque nuit, on pouvait être sûr qu'une horde de ces chevaux briseraient leurs entraves pour galoper aux quatre coins du camp dans la boue et l'obscurité ; ou bien que les chameaux se détacheraient, cavaleraient n'importe où et se prendraient les pieds dans les cordes des tentes : bref, un tableau charmant pour qui cherchait le sommeil. Je croyais ma tête éloignée du parc des chameaux, à l'abri du danger ; mais, un soir, un homme passa brusquement la tête à l'intérieur, en criant :

« Sors vite ! Ils arrivent ! Ma tente est partie ! »

Je savais qui étaient ce « ils ». J'enfilai donc mes bottes et mon imperméable et décampai dans la boue. Petite Peste, mon fox-terrier, sortit par l'autre côté. Il y eut alors un rugissement, des grognements, des glouglous et je vis la tente s'effondrer sur son mât brisé

net et se mettre à danser comme un fantôme
dément. Un chameau s'y était engouffré par
mégarde : j'avais beau être trempé et furieux,
je ne pus m'empêcher de rire. Après quoi, je
repris la fuite car j'ignorais combien de chameaux avaient pu s'échapper. Bientôt je me
retrouvai à patauger dans la gadoue ; j'avais
perdu le camp de vue. Pour finir, je trébu-
chai sur la culasse d'un canon ; j'en déduisis
que je me trouvais à proximité du parc d'artillerie, où on reléguait les canons pour la

nuit. Comme je n'avais aucune envie de continuer à patouiller ainsi sous le crachin et dans le noir, j'accrochai mon caoutchouc à la bouche d'un canon, me bâtis une sorte de wigwam à l'aide de deux ou trois refouloirs glanés dans les parages et m'allongeai sur l'affût d'un autre canon, me demandant où était fourrée Petite Peste et où je pouvais bien être moi-même. Juste au moment de m'assoupir, j'entendis grogner, un harnais tintinnabuler : un mulet passa devant moi en secouant ses oreilles mouillées. Il appartenait à une batterie de canons à vis : je distinguai en effet le cliquetis des sangles, anneaux, chaînes et autres ferrailles, sur son tapis de selle. Les canons à vis sont de minuscules pièces d'artillerie en deux morceaux que l'on visse ensemble quand vient le moment de s'en servir. On les hisse à flanc de montagne, partout où passe un mulet ; ils facilitent le combat en terrain rocailleux. Derrière le mulet venait un chameau, dont les gros pieds moelleux glissaient dans la boue avec un bruit de ventouse et qui dardait et rentrait le cou comme une poule égarée. Heureusement j'avais appris des indigènes le langage des bêtes (non point des bêtes sauvages, mais des bêtes de camp, bien entendu) suffisamment pour comprendre ce qu'il disait. Ce devait être celui qui s'était affalé dans ma tente, car il interpella le mulet :

« Que faire? Où aller? Je me suis battu avec une Chose blanche qui flottait; elle a pris un bâton et m'a frappé au cou. (C'était mon mât de tente cassé; je fus ravi de l'apprendre.) On court plus loin?

— Ah! c'est toi, dit le mulet, toi et tes amis, qui avez mis tout le camp sens dessus dessous? Très bien. Pour ta peine, tu seras rossé demain matin. Mais autant te donner une avance dès maintenant... »

J'entendis cliqueter le harnais : le mulet reculait, avant d'assener deux ruades au chameau, dont les côtes résonnèrent comme un tambour.

« Ça t'apprendra la prochaine fois, dit-il, à foncer en pleine nuit dans une batterie de mulets en criant : "Au voleur! Au feu!" Assieds-toi et arrête de gigoter du cou comme un idiot! »

Le chameau se replia à la façon des chameaux, comme un mètre pliant, et s'assit en pleurnichant. Des sabots frappèrent en cadence les ténèbres, et un gros cheval de troupe arriva au petit galop rythmé, comme s'il était à la parade, sauta par-dessus la culasse d'un canon et atterrit à côté du mulet.

« Quel scandale! dit-il, les naseaux crachant l'air. Ces chameaux ont encore fait le chambard à l'écurie... pour la troisième fois de la semaine. Comment veut-on qu'un cheval reste en forme s'il n'a pas le droit de dormir? Qui est là?

— Je suis le mulet de culasse du 2e canon de la 1re Batterie à vis, dit le mulet; et l'autre, là, est l'un de tes amis. Il m'a réveillé, moi aussi. Et toi, qui es-tu?

— Numéro Quinze, Escadron E, 9e Lanciers, le cheval de Dick Cunliffe. Écarte-toi un peu, s'il te plaît.

— Oh! excuse..., dit le mulet. Il fait tellement noir, on n'y voit pas grand-chose. Moi, ces chameaux me rendent malade. J'ai quitté mon parc pour chercher un peu de tranquillité par ici.

— Messeigneurs, dit le chameau avec humilité, nous avons fait de mauvais rêves dans la nuit et nous avons eu très peur. Je ne suis

qu'un chameau de bât du 39ᵉ d'Infanterie indigène et n'ai pas votre bravoure, messeigneurs.

— Eh bien alors, tu n'avais qu'à rester porter le fourniment du 39ᵉ d'Infanterie indigène,
au lieu de cavaler d'un bout à l'autre du
camp! dit le mulet.

— C'étaient de si mauvais rêves…, dit le
chameau. Je suis désolé. Écoutez! Qu'est-ce
que c'est? On court plus loin?

— Assieds-toi! dit le mulet, sinon tu vas te
casser tes pattes d'allumette parmi tous ces
canons. »

Il dressa une oreille, aux aguets :

« Des bœufs! dit-il. Des bœufs à canon!
Ma parole, toi et tes amis, vous avez réveillé
le camp de fond en comble! Pour mettre debout un bœuf à canon, il ne faut pas avoir
peur de donner de l'aiguillon! »

J'entendis une chaîne traîner par terre, et
une paire de ces bœufs blancs, énormes et
taciturnes, qui tirent les lourds canons de
siège quand les éléphants refusent d'aller
plus près de la ligne de feu, apparurent,
épaule contre épaule, sous le joug, suivis
d'un autre mulet de batterie qui marchait

283

presque sur la chaîne des bœufs et appelait hystériquement : « Billy ! »

« Ça, c'est un de nos bleus, dit le vieux mulet au cheval de troupe. C'est moi qu'il appelle. Viens, petit gars ! Assez piaulé ! L'obscurité n'a jamais encore étranglé personne ! »

Les bœufs à canon se couchèrent en même temps et se mirent à ruminer. Mais le jeune mulet se blottit contre Billy.

« Des Choses ! dit-il. Des Choses effrayantes et horribles, Billy ! Elles sont venues chez nous pendant qu'on dormait. Tu crois qu'elles vont nous tuer ?

— J'ai sacrément envie de te flanquer une de ces ruades… dit Billy. Penser qu'un mulet haut d'un mètre trente-neuf, avec ta formation, déshonore la Batterie devant ce gentleman ! A-t-on idée ?

— Doucement ! doucement ! dit le cheval de troupe. Souviens-toi qu'on est toujours comme ça au début. La première fois de ma vie que j'ai vu un homme (c'était en Australie, j'avais trois ans), j'ai couru toute une demi-journée, et si ç'avait été un chameau, je courrais encore. »

Dans la cavalerie anglaise en Inde, presque tous nos chevaux sont importés d'Australie et dressés par les soldats eux-mêmes.

« Tu as raison, dit Billy. Arrête de trembler, petit gars ! La première fois qu'on m'a installé sur le dos le harnais complet avec toutes ses chaînes, je me suis planté sur mes pattes avant, j'ai rué, j'ai rué ! et tout a fini par terre. A l'époque, j'étais novice encore dans l'art de ruer, mais ils ont dit à la batterie n'avoir jamais rien vu de pareil !

— Mais là, il ne s'agissait ni de harnais ni de rien qui tintinnabule, dit le jeune mulet. Tu sais bien que je m'y suis habitué, Billy. C'étaient des Choses comme des arbres ; elles s'abattaient n'importe où sur nos piquets en gargouillant ! Mon licou s'est cassé. Impossible de retrouver mon muletier ; impossible de te retrouver. Alors je me suis sauvé avec... avec ces deux gentlemen.

— Hum ! dit Billy. Dès que j'ai su que les chameaux s'étaient détachés, j'ai pris sur moi de filer. Pour qu'un mulet de batterie – une batterie de canons à vis ! – traite de gentlemen des bœufs d'artillerie, il faut qu'il ait été rudement secoué. Eh! vous, là, par terre, qui êtes-vous? »

Les bœufs s'arrêtèrent de ruminer et répondirent en chœur :

« Le 7e joug du 1er canon de la Batterie du Gros Canon. On dormait quand les chameaux sont arrivés, mais quand on s'est fait piétiner, on s'est levé, on est parti. Mieux vaut coucher tranquille dans la boue plutôt qu'être dérangé sur une bonne litière. On a dit à ton ami, là, qu'il n'y avait pas lieu d'avoir peur ; mais il était beaucoup trop malin pour nous écouter. Peuh! »

Et ils se remirent à ruminer.

« Voilà ce que c'est d'avoir peur, dit Billy : on se fait railler par des bœufs à canon. J'espère que tu apprécies, jeune homme! »

Les mâchoires du jeune mulet claquèrent et je l'entendis vaguement marmonner n'avoir peur d'aucune vieille peau de bœuf... Mais les bœufs se contentèrent d'entrechoquer leurs cornes, sans cesser de ruminer.

« Ne te mets pas en colère maintenant, après avoir eu peur! dit le cheval de troupe. C'est la pire des lâchetés. On est toujours excusable, selon moi, d'avoir peur la nuit, si on voit des choses qu'on ne comprend pas. Combien de fois nous sommes-nous échappés de nos piquets tous ensemble, les quatre cent cinquante que nous sommes, rien que d'entendre une nouvelle recrue raconter des histoires de serpents-fouets, là-bas, chez nous, en Australie, au point d'avoir une peur bleue du bout pendant de nos licous!

— Tout ça, c'est très bien en garnison, dit Billy. Moi-même, je ne dédaigne pas une bonne débandade de temps en temps avec les autres, pour le plaisir, quand je reste un jour ou deux sans sortir; mais en campagne?

— Oh! ça, c'est une autre paire de manches! dit le cheval de troupe. A ce moment-là, j'ai Dick Cunliffe sur le dos; il m'enfonce ses genoux dans les côtes et je n'ai plus qu'une chose à faire : regarder où je mets les pieds, garder mes pattes de derrière bien groupées sous le ventre et obéir aux rênes.

— C'est quoi, obéir aux rênes? dit le jeune mulet.

— Par les Eucalyptus du Fin Fond de l'Australie! renâcla le cheval de troupe, tu veux dire que, dans votre métier, on ne vous apprend pas à obéir aux rênes? Mais à quoi donc peut-on servir si on ne sait pas faire immédiatement demi-tour, à la moindre pression des rênes sur le cou? C'est une question de vie et de mort pour son cavalier et, partant, pour soi aussi. A peine sent-on les rênes sur le cou, on se prépare en groupant bien les pattes de derrière. Faute de place pour un tour complet, se cabrer légèrement et pivoter sur les pattes postérieures. C'est ça, obéir aux rênes.

— Ce n'est pas comme ça qu'on nous apprend, dit Billy le mulet, d'un ton sec. On nous enseigne à obéir à l'homme qui est devant nous : on s'arrête à son ordre ; on repart à son ordre. Ça revient au même, j'imagine. Et toutes tes belles cabrioles et autres acrobaties, qui, entre parenthèses, ne doivent pas t'arranger les jarrets, à quoi ça te mène?

— Ça dépend, dit le cheval de troupe. En général, je dois foncer dans une masse d'hommes poilus qui hurlent et brandissent des couteaux, pires que ceux du maréchal-ferrant, et je dois veiller à ce que la botte de Dick touche celle de son voisin immédiat, sans la lui écraser. A droite, du coin de l'œil droit, j'aperçois la lance de Dick et je me sais en sécurité. Je n'aimerais pas être l'homme ou le cheval qui nous bloquerait le chemin quand nous sommes pressés!

— Les couteaux ne font pas mal? dit le jeune mulet.

— Euh… j'en ai reçu un jour un coup en travers du poitrail, mais ce n'était pas la faute de Dick…

— Si j'avais été blessé, tu parles que je me serais soucié de savoir si c'était sa faute ou pas! lâcha le jeune mulet.

— Mais tu es obligé, dit le cheval de troupe. Si tu n'as pas confiance en ton cavalier, autant décamper tout de suite. C'est d'ailleurs ce que font certains de nos chevaux et je ne leur reproche rien. Je disais donc, ce n'était pas la faute de Dick. L'homme était par terre, j'ai allongé ma foulée pour ne pas lui marcher dessus et il m'a sabré. La prochaine fois que je trouve quelqu'un couché en travers de mon chemin, je lui passe sur le corps… et de bon cœur!

— Hum! dit Billy, tout ça ne me paraît pas très intelligent. Jeux de couteaux, jeux de pourceaux. Escalader une montagne avec une selle bien équilibrée, se cramponner des quatre fers et des oreilles aussi, et monter, se faufiler, ramper, se tortiller, jusqu'à dominer tout le monde de plusieurs centaines de mètres, du haut d'un bout de rocher juste assez grand pour loger quatre sabots, moi je ne connais rien d'autre. Ensuite, on ne bouge plus, on se tait. Ne va jamais demander à un homme de te tenir la tête, petit gars! On se tait, pendant que les hommes assemblent les canons. Après quoi, on regarde les petits obus qui pètent s'abattre sur la cime des arbres, loin, très loin en contrebas.

— Jamais de faux pas? dit le cheval d'armes.

— Tu sais ce qu'on dit : le jour où une mule trébuchera, les poules auront des dents, dit Billy. Il peut arriver, un jour, je ne dis pas, peut-êêêtre, qu'un bât mal réparti déséquilibre un mulet, mais c'est vraiment très rare. J'aimerais que tu nous voies à l'œuvre. C'est magnifique! Il faut dire qu'il m'a fallu trois ans pour comprendre ce qu'ils voulaient. Tout l'art consiste à ne jamais laisser sa silhouette se détacher contre le ciel. Sinon, on risque de se faire tirer dessus.

Rappelle-toi ça, petit gars! Reste caché le mieux possible, même si ça exige un détour d'un kilomètre ou deux. C'est moi le chef de batterie dès qu'on aborde ce genre d'escalade.

— Se faire canarder sans pouvoir foncer sur l'assaillant! dit le cheval de troupe, profondément songeur. Jamais je ne pourrais le supporter. J'aurais envie de charger... avec Dick.

— Ça m'étonnerait! Tu sais qu'une fois en position ce sont les canons qui s'occuperont de charger. Voilà du travail scientifique et propre; mais des couteaux, pouah! »

Le chameau de bât ballottait de la tête depuis déjà un certain temps, désireux de glisser un mot dans la conversation. Puis je l'entendis s'éclaircir la voix et dire, non sans timidité :

« Je... je... j'ai fait un peu la guerre moi aussi, mais pas avec des escalades ni des cavalcades...

— Non. Maintenant que tu le dis, lança Billy, tu ne parais pas taillé pour l'escalade ou la course; non, pas vraiment. Et alors, comment t'as fait, vieux Bottes-de-Foin?

— Comme il faut, dit le chameau. Nous nous sommes tous assis...

— Oh! nom d'une Croupière et d'un Plastron! lâcha tout bas le cheval de cavalerie. Assis?

— Nous nous sommes assis, une centaine, poursuivit le chameau, en un grand carré. Les hommes ont entassé nos *kajawahs*, nos paquetages et nos selles à l'extérieur du carré et ils ont fait feu par-dessus notre dos, tous en même temps sur les quatre côtés du carré.

— Qui? Le premier venu? dit le cheval de troupe. A l'école de cavalerie, on nous apprend à nous coucher et à laisser notre maître nous tirer par-dessus le dos, mais je ne me fierais qu'à Dick Cunliffe pour ça. Les sangles me chatouillent et, en plus, je ne vois rien quand j'ai la tête par terre.

— Peu importe celui qui me tire par-dessus le dos! dit le chameau. Il y a plein d'hommes et plein d'autres chameaux à côté de moi et des nuages de fumée partout. Je n'ai pas peur à ce moment-là. Je reste assis; je ne bouge pas; j'attends.

— Et avec ça, dit Billy, t'as des cauchemars et tu sèmes la pagaille dans le camp la nuit? Eh bien, dis donc!... avant que je me couche (je ne parle même pas de m'asseoir!) et que je laisse un homme me tirer par-dessus le corps, mes sabots et sa tête auraient sûrement quelque chose à se dire. Je n'ai jamais entendu pareille horreur! »

Silence prolongé. Puis l'un des bœufs à canon leva sa grosse tête et dit :

« En effet, quelle absurdité! Il n'y a qu'une seule façon de se battre.

— Vas-y! Surtout, ne te gêne pas pour moi... dit Billy. Chez vous, on se bat debout sur la queue, j'imagine.

— Une seule façon, dirent en chœur les deux bœufs. (Ils devaient être jumeaux.) La voici : atteler nos vingt paires au gros canon dès l'instant où Double-Queue barrit. (En argot militaire, Double-Queue désigne l'éléphant.)

— Et pourquoi Double-Queue barrit-il? dit le jeune mulet.

— Pour faire comprendre qu'il ne s'approchera pas davantage de la fumée d'en face. Double- Queue est un grand froussard. C'est nous qui tirons alors le gros canon tous ensemble – *Heya – Hullah! Heeyah! Hullah!* Nous, nous ne grimpons pas comme des chats; nous ne courons pas non plus comme des veaux. Nous avançons en terrain plat, vingt paires à suivre, jusqu'à ce qu'on nous détele. Alors, nous broutons, pendant que les gros canons s'adressent, par-dessus la plaine, à quelque ville aux remparts d'argile : certains pans du rempart s'écroulent et c'est là-bas comme un grand troupeau de bétail qui rentre à l'étable dans un nuage de poussière.

— Oh! Et c'est ce moment-là que vous choisissez pour brouter? dit le jeune mulet.

— Ce moment-là ou un autre. Ça fait toujours du bien de manger. Nous mangeons jusqu'à ce qu'on nous remette sous le joug et nous rapportons le canon à l'endroit où Double-Queue l'attend. Parfois, dans la ville, de gros canons répondent; certains d'entre nous sont tués alors; et ça fait ça de plus à paître pour ceux qui restent. C'est le Destin – rien que le Destin. N'empêche que Double-Queue est un grand froussard. Voilà, c'est comme ça qu'il faut se battre. Nous sommes frères; nous venons de Hapur; notre père était taureau sacré de Shiva. Nous avons dit.

— Eh bien, dites donc! j'en ai appris cette nuit! dit le cheval d'armes. Et vous, messieurs de la batterie des canons à vis, vous sentez-vous disposés à manger quand on vous tire dessus à coups de gros canon et que vous avez Double-Queue derrière vous?

— A peu près autant qu'à nous asseoir pour permettre à des hommes de se vautrer sur nous, ou à nous jeter sur des gens armés de couteaux. Je n'ai jamais entendu pareilles sornettes. Un bout de rocher, une charge bien équilibrée, un muletier dont je sais qu'il me laissera choisir moi-même mon chemin, là, d'accord! Quant au reste… ça, non! dit Billy en tapant du pied.

— Naturellement, dit le cheval de cavalerie; tout le monde n'est pas fait sur le même modèle et je me doute bien que dans ta famille, du côté paternel, on devait ne pas comprendre grand-chose.

— Laisse donc ma famille du côté paternel tranquille! dit Billy avec colère (car un mulet n'aime jamais s'entendre rappeler que son père était un âne). Mon père était un gentleman du Sud, capable de culbuter et de réduire en bouillie, à coups de dents et de sabots, n'importe quel cheval! Mets-toi bien ça dans le crâne, espèce de gros Brumby marron! »

Brumby désigne un cheval sauvage qui n'a pas de pedigree. Imaginez la tête d'Ormonde[1] si un cheval d'omnibus le traitait de demi-sang, et vous aurez la réaction du cheval australien. Je vis le blanc de ses yeux luire dans l'obscurité.

« Hé! toi, fils de baudet importé de Malaga, grommela-t-il entre ses dents, tu apprendras que je suis apparenté par ma mère à Carbine, le vainqueur de la Coupe de Melbourne, et nous n'avons pas l'habitude, là d'où je viens, de nous laisser traiter aussi cavalièrement par je ne sais quelle tête de cochon de perroquet de mulet de batterie de pétoire de foire à lancer des petits pois! T'es prêt?

— Debout sur les pattes postérieures! » brailla Billy.

Tous deux se cabrèrent, face à face. Je m'apprêtais à assister à un furieux combat, lorsque à ma droite une voix de gorge gargouillante lança dans le noir :

« Hé! les enfants! Qu'avez-vous à vous battre? Du calme! »

---

1. Célèbre cheval de course, à l'époque. (*N.d.T.*)

Les deux adversaires retombèrent en renâ-
clant de dégoût, car chevaux et mulets sont
tous deux allergiques à la voix de l'éléphant.

« C'est Double-Queue! dit le cheval de
troupe. Je ne peux pas le souffrir. Une queue
à chaque bout, c'est de la triche!

— C'est bien mon avis, dit Billy qui vint se
réfugier dans les pattes du cheval de cavalerie. Nous avons vraiment des points communs.

— Nous les tenons de nos mères, je présume, dit le cheval de troupe. A quoi bon se
chamailler là-dessus? Hé! Double-Queue, tu
es attaché?

— Oui, dit Double-Queue, la trompe par-
courue d'un long rire. Je suis au piquet pour
la nuit. Je vous ai entendus tout à l'heure.
Mais, n'ayez crainte, je ne vais pas m'approcher. »

Les bœufs et le chameau chuchotèrent :

« Ils ont peur de Double-Queue! Qu'ils
sont bêtes! »

Et les bœufs poursuivirent :

« Nous sommes navrés que tu nous aies entendus; mais c'est la vérité. Pourquoi, Double-
Queue, as-tu peur des canons quand ils tirent?

— C'est-à-dire, expliqua Double-Queue en frottant une patte de derrière contre l'autre, exactement comme un petit garçon qui récite un poème, je ne suis pas certain que vous comprendriez.

— Non. Mais c'est nous qui devons traîner les canons! dirent les bœufs.

— Je sais. Et je sais aussi que vous êtes bien plus courageux que vous ne le pensez. Mais, moi, ce n'est pas pareil. L'autre jour, mon capitaine de batterie m'a qualifié d'Anachronisme Pachydermique.

— Encore une façon de se battre, j'imagine? dit Billy, qui reprenait ses esprits.

— Toi, évidemment, tu ne sais pas ce que ça veut dire. Mais, moi, je le sais. Ça veut dire "entre les deux", et c'est exactement là que je me situe. Moi, contrairement à vous, les bœufs, je vois dans ma tête ce qui va se passer si un obus éclate.

— Moi aussi. Un petit peu, du moins. J'essaie de ne pas y penser.

— Mais je vois plus loin que toi, et j'y pense, moi. Je sais que je suis un gros morceau à protéger et aussi qu'une fois malade personne ne sait me soigner. Tout ce qu'ils savent faire, c'est suspendre la solde de mon cornac jusqu'à ma guérison. Or, je ne peux pas faire confiance à mon cornac.

— Ah! dit le cheval de cavalerie. Nous y sommes! Moi, j'ai confiance en Dick.

— On m'installerait sur le dos un régiment entier de Dick, je ne me sentirais pas mieux pour autant. J'en sais suffisamment pour être mal à l'aise et pas assez pour y aller quand même.

— On ne comprend pas, dirent les bœufs.

— Je sais. Ce n'est pas à vous que je parle. Le sang, vous ne savez pas ce que c'est, vous.

— Mais si! dirent les bœufs. C'est une substance rouge qui est absorbée par la terre et dégage une odeur. »

Le cheval de troupe rua, bondit, renâcla.

« Arrêtez! dit-il. Rien que d'y penser, je le sens d'ici. Ça me donne envie de fuir... quand je n'ai pas Dick en selle.

— Mais il n'y en a pas, ici, dirent le chameau et les bœufs. Que tu es bête!

— C'est quelque chose d'infect, dit Billy. Je n'ai pas envie de fuir, moi, mais je n'ai pas envie non plus d'en parler.

— Vous y êtes! dit Double-Queue en agitant la queue en guise de commentaire.

— C'est sûr. Même qu'on a passé la nuit ici », dirent les bœufs.

Double-Queue tapa du pied si fort qu'il en fit sonner son anneau métallique.

« Ah! mais! ce n'est pas à vous que je parle! Vous, vous ne voyez rien dans votre tête.

— Exact. Nous voyons par nos quatre yeux, dirent les bœufs. Et nous voyons droit devant nous.

— Si je ne savais faire que ça moi aussi, on pourrait parfaitement se passer de vous pour traîner les grosses pièces. Si j'étais comme mon capitaine (lui voit les choses dans sa tête avant même le premier coup de canon, et il tremble comme une feuille; mais il en sait trop pour se sauver) – si j'étais comme lui, moi aussi je pourrais traîner les canons. Mais d'abord, si j'étais vraiment si intelligent, je n'aurais jamais échoué ici. Je serais roi de la forêt, comme autrefois, dormant la moitié de la journée et me baignant à mon gré. Voilà un mois que je n'ai pas pris un bon bain.

— C'est très joli, tout ça, dit Billy, mais ce

n'est pas avec des mots à rallonge qu'on change la situation.

— Chut ! dit le cheval de troupe. Je crois comprendre ce que veut dire Double-Queue.

— Vous allez mieux comprendre d'ici une seconde ! dit Double-Queue en colère. Expliquez-moi donc pourquoi ce que je vais faire maintenant vous déplaît tant. »

Et il se mit à barrir à tue-tête.

« Arrête ! » dirent en chœur Billy et le cheval de troupe.

Et je les entendis piaffer et frissonner. Un barrissement n'est jamais agréable, surtout par nuit noire.

« Certainement pas ! dit Double-Queue. J'attends que vous m'expliquiez ! *Hhrrmph ! Rrrt ! Rrrmph ! Rrrhha !* »

Puis, d'un seul coup, il s'arrêta. Un pleurnichement dans l'obscurité m'avertit alors que Petite Peste m'avait enfin retrouvé. Or, il est une chose au monde que l'éléphant craint par-dessus tout : c'est un petit chien qui aboie. Et elle le savait aussi bien que moi ! Aussi s'arrêta-t-elle pour provoquer l'éléphant entravé et japper autour de ses gros pieds. Double-Queue s'agita, piaula :

« Va-t'en, petit chien ! dit-il. Arrête de me renifler les chevilles ou je t'envoie un coup de pied. Allez ! mon petit chien ! tu es beau ! là ! là ! Rentre chez toi, sale petit roquet ! Oh ! il n'y a donc personne pour nous en débarrasser ? Elle va finir par me mordre.

— J'ai comme l'impression, dit Billy au cheval de cavalerie, que notre ami Double-Queue a peur de tout, ou presque. Si on m'avait donné un repas complet pour tous les chiens que mes sabots ont envoyés valser à l'autre bout du terrain de manœuvre, je serais aujourd'hui presque aussi gros que Double-Queue. »

Je sifflai : aussitôt, Petite Peste courut me rejoindre. Elle avait de la boue jusqu'aux oreilles. Elle me lécha le nez et entreprit de me raconter qu'elle m'avait cherché aux quatre coins du camp, etc. Je ne lui ai jamais avoué comprendre le langage des animaux ; sinon, elle aurait pris toutes sortes de libertés. Je l'enfouis donc sous le plastron de mon imperméable, vite reboutonné. Double-Queue s'agitait, trépignait, grommelait dans sa trompe.

« Extraordinaire! Tout à fait extraordinaire! C'est dans le sang. Mais où est passée cette sale bestiole? »

Je l'entendis tâter autour de lui avec sa trompe.

« Il semble que des choses différentes nous émeuvent, poursuivit-il, en mouchant sa trompe. Vous autres, messieurs, par exemple, avez pris peur, je crois, quand je me suis mis à barrir.

— Pris peur, c'est beaucoup dire, répliqua le cheval d'armes; j'avais tout à coup l'impression d'avoir des frelons à la place de ma selle. Ne recommence pas!

— Moi, j'ai peur d'un petit chien et le chameau ici présent craint les cauchemars nocturnes.

— Heureusement, dit le cheval de troupe, que nous n'avons pas tous à nous battre de la même façon!

— Ce que je voudrais savoir, dit le jeune mulet, silencieux depuis un bon moment, ce que je voudrais savoir, moi, c'est pourquoi nous devons nous battre, pour commencer.

— Parce qu'on nous l'ordonne! rétorqua

le cheval de cavalerie, avec un ébrouement de mépris.

— Ce sont les ordres! » dit Billy le mulet.

Et il claqua les mâchoires.

« *Hukm hai!* (c'est un ordre!) », glouglouta le chameau.

A leur tour Double-Queue et les bœufs répétèrent :

« *Hukm hai!*

— D'accord, mais qui donne les ordres? insista la nouvelle recrue.

— L'homme qui marche devant toi.

— Ou qui est assis sur ton dos.

— Ou qui tient le caveçon.

— Ou qui te tirebouchonne la queue, dirent successivement Billy, le cheval de troupe, le chameau et les bœufs.

— Mais qui leur donne les ordres, à eux?

— Ah! tu es trop curieux, petit gars, dit Billy. Et ça, ça ne rapporte que des coups. Tu obéis à ton muletier, sans poser de questions. Un point, c'est tout.

— Il a raison, dit Double-Queue. Personnellement, étant entre les deux, je ne peux pas toujours obéir, moi. Mais Billy a raison. Il faut obéir à l'homme près de toi, qui te commande, sinon tu bloques la batterie entière, et on te rosse par-dessus le marché. »

Les bœufs à canon se levèrent pour partir.

« Le jour va se lever, dirent-ils. Nous allons rejoindre les autres. Nous ne voyons que par nos yeux, et nous ne sommes pas très intelligents, c'est vrai. N'empêche, cette nuit, nous avons été les seuls à ne pas avoir eu peur. Bonne nuit, cœurs vaillants ! »

Personne ne répondit. Histoire de changer de sujet, le cheval de troupe demanda :

« Où est passé le petit chien ? Quand on voit un chien, c'est qu'il y a un homme pas loin.

— Ici ! jappa Petite Peste, sous la culasse du canon avec mon maître. C'est toi, espèce de grand maladroit de chameau, c'est toi qui as renversé notre tente. Mon maître n'est pas content du tout.

— Pouah ! dirent les bœufs. C'est sûrement un Blanc.

— Ça va de soi ! dit Petite Peste. Vous croyez peut-être que c'est un bouvier noir qui s'occupe de moi ?

— *Huah ! Ouach ! Ugh !* dirent les bœufs. Allons-nous-en ! et vite ! »

Ils foncèrent dans la boue et réussirent à accrocher leur joug dans le timon d'un caisson à munitions, où il resta bloqué.

« Bravo! Ça y est! dit tranquillement Billy. Inutile de vous débattre : vous êtes coincés ici jusqu'à l'aube. Mais qu'est-ce qui vous prend? »

Les bœufs se lancèrent en s'ébrouant dans les longs sifflements typiques du bétail indien; ils poussaient, bousculaient, viraient, piaffaient, glissaient et faillirent s'affaler dans la boue avec des grognements féroces.

« D'ici que vous vous cassiez le cou…, dit le cheval de cavalerie. Qu'est-ce que vous avez contre les Blancs? Je vis avec eux, moi!

— Ils… nous… mangent! Tire! » dit le bœuf placé du côté extérieur.

Le joug se cassa avec un bruit sec et les deux bœufs s'éloignèrent lourdement.

Jusque-là, je n'avais jamais compris pourquoi le bétail indien avait une telle frousse des Anglais : nous mangeons du bœuf! (un bouvier n'y touchera jamais!)… et naturellement, ça ne plaît pas aux bovins.

« Qu'on me fouette avec mes propres courroies de sellette! Qui eût cru que deux

grosses masses pareilles perdraient la tête?
dit Billy.

— Qu'à cela ne tienne! Moi, je vais voir
cet homme. Les Blancs ont presque toujours,
je le sais, quelque chose au fond des poches,
dit le cheval de troupe.

— Bon, eh bien! je vais te quitter.
J'avoue que personnellement je ne raffole
pas de ces gens-là. En outre, un Blanc qui
couche dehors a toutes chances d'être un
voleur; or, moi, j'ai en ce moment sur le
dos pas mal de biens de l'État... Allez,
viens, petit gars! on va rejoindre les autres.
Bonne nuit, Australie! On se reverra demain au cours de la parade, je présume.
Bonne nuit, vieux Bottes-de-Foin! Essaie de
prendre un peu sur toi, la prochaine fois,
d'accord? Bonne nuit, Double-Queue! Si tu
nous croises sur l'esplanade demain, abs-
tiens-toi de barrir! Ça sème la pagaille dans
nos rangs. »

Billy le mulet s'éloigna, clopin-clopant,
raide et fier comme un vieux troupier. Au
même moment, le cheval de cavalerie vint
fourrer son museau sous mon imperméable :
je lui donnai des biscuits. Pendant ce temps-là,

Petite Peste, qui est vaniteuse comme pas une, lui racontait des bobards sur les dizaines et les dizaines de chevaux qu'elle et moi possédions.

« Je viendrai demain à la parade dans mon *dog-cart*, dit-elle. Où serez-vous ?

— Sur l'aile gauche du deuxième escadron. C'est moi qui règle l'allure pour tout mon bataillon, ma petite dame, dit-il poliment. A présent, je dois rejoindre Dick. J'ai la queue toute boueuse et il lui faudra deux heures bien remplies pour me préparer en vue de la parade. »

La grande parade avec l'ensemble des trente mille hommes eut lieu l'après-midi. Petite Peste et moi, nous eûmes une place de choix, près du Vice-Roi et de l'Émir d'Afghanistan en haute toque d'astrakan piquée, au milieu, du fameux gros diamant étoilé. Un magnifique soleil brilla pendant toute la première partie de la revue : les régiments défilèrent, par vagues successives de jambes parfaitement synchrones, les fusils tous en ligne, à nous en troubler la vue. Puis vint la Cavalerie, au son du beau galop de *Bonnie Dundee* : assise dans son *dog-cart*, Petite Peste pointa les oreilles. Le deuxième escadron des Lanciers passa en coup de vent ; le cheval de cavalerie était bien là, la queue comme de la soie filée, la tête rentrée contre le poitrail, une oreille en avant, l'autre en arrière, réglant le pas pour tout son escadron, la démarche souple comme une valse. Puis vint le tour des grosses pièces et je vis Double-Queue et deux autres éléphants, attelés de front à un canon de siège de quarante, suivis de vingt attelages de bœufs. La septième paire portait un joug neuf et semblait plutôt raide et four-bue. Les canons à vis fermaient la marche et Billy le mulet crânait comme si c'était lui qui commandait l'armée : son harnais huilé, fourbi, scintillait. Je poussai tout seul un hourra ! pour Billy le mulet, mais il regardait droit devant lui.

Il se remit à pleuvoir. Pendant plusieurs minutes, le brouillard masqua l'évolution des troupes. Elles avaient formé un grand demi-cercle à travers la plaine et se dé-ployaient en ligne. Cette ligne s'étira, s'étira jusqu'à couvrir un bon kilomètre d'une aile à l'autre, un seul mur compact d'hommes, de chevaux, de canons. Qui se mit soudain à avancer droit sur le Vice-Roi et l'Émir. Comme elle se rapprochait, le sol commença à vibrer, tel le pont d'un vapeur tournant à plein régime.

Il faut y avoir assisté pour se représenter ce qu'a d'effrayant cette avance soudaine et régulière des troupes, même si l'on sait qu'il s'agit d'une simple parade. Je regardai l'Émir. Jusque-là, il n'avait pas manifesté l'ombre d'un signe de surprise, ni d'aucune autre émotion. Mais, à cet instant, ses yeux s'écarquillèrent ; empoignant les rênes sur le cou de son cheval, il jeta un coup d'œil derrière lui. Il sembla, une seconde, sur le point de dégainer pour se tailler un passage à coups de sabre à travers les Anglais, hommes et femmes, massés, en voiture, derrière lui. Soudain l'avance s'arrêta net. Le sol cessa de trembler. Le front entier salua. Et trente orchestres se mirent à jouer à l'unisson. C'était la fin de la revue ; les régiments repartirent vers leurs camps, sous la pluie, tandis qu'une musique d'infanterie attaquait :

Deux par deux les bêtes entrèrent,
Hourra! Hourra! Ohé!
Elles entrèrent, par deux en rangs :
Avec le mulet, l'éléphant.
Deux par deux, toutes pénétrèrent
Dans l'Arche de Noé :
Sous le déluge
Leur refuge,
Ohé!

J'entendis alors un vieux chef d'Asie centrale, aux longs cheveux grisonnants, venu du Nord avec l'Émir, interroger un officier indigène.

« Et comment donc, dit-il, s'y est-on pris pour obtenir pareil prodige? »

A quoi l'officier répondit :

« Un ordre fut donné; ils ont tous obéi.

— Mais les bêtes sont-elles aussi intelligentes que les hommes? dit le chef.

— Elles obéissent, comme les hommes. Mulets, chevaux, éléphants, bœufs – tous obéissent à leur maître; leur maître obéit à son sergent, le sergent à son lieutenant, le lieutenant à son capitaine, le capitaine à son lieutenant-colonel, le lieutenant-colonel à son colonel, le colonel à son général de brigade et le général de brigade au général d'armée, qui obéit lui-même au Vice-Roi, qui est le serviteur de l'Impératrice. Voilà comment on s'y prend.

— Ah! s'il en était de même en Afghanistan! dit le chef. Mais on n'y obéit qu'à ses désirs.

— Et voilà pourquoi, dit l'officier indigène, en frisant sa moustache, votre Émir, auquel vous n'obéissez pas, est obligé de venir ici recevoir les ordres de notre Vice-Roi. »

Chant de Parade
des Animaux du Camp

Éléphants du Gros Canon

Alexandre avec nous eut la force d'Hercule,
Eut des genoux rusés, eut un front qui calcule.
Nul éléphant depuis pour servir ne recule.
      Holà! Place au canon
      Qu'à dix pieds nous traînons!

Bœufs à Canon

Ce héros harnaché fuit le boulet.
Et ce qu'il sait de la poudre l'effraie.
C'est nous alors qui prenons le relais.
      Holà! Place au canon
      Qu'à vingt jougs nous traînons!

Chevaux de la Cavalerie

Par le fer qui me marque, la plus belle chanson
Est cet air des Lanciers, des Hussards, des Dragons.
Il m'est plus doux à l'ouïe que le mot « écurie »,
Ce galop de cavalerie, *Bonnie Dundee* !

A vous de nous dresser, nous panser, nous nourrir!
Donnez-nous un bon maître, de l'espace où courir!
Puis lancez-nous! Voyez nos escadrons hardis
Livrer combat pendant qu'on joue *Bonnie Dundee* !

Mulets des Canons à Vis

Mes compagnons et moi nous grimpions une pente,
Quand les cailloux roulèrent et noyèrent la sente.
Mais en avant, les gars! On peut toujours passer!
Des pics les plus abrupts, on n'est jamais lassé!

Avec un bon sergent, on choisit son sentier.
Si le bât n'est pas droit, malheur au muletier!
Mais en avant, les gars! On peut toujours passer!
Des pics les plus abrupts, on n'est jamais lassé!

Chameaux du Train

Nous n'avons pas d'air camelin
Pour nous aider sur le chemin.
Mais chaque cou est un trombone
(*Rtt – ta – ta – ta* est un trombone!).
Et voici l'air guidant nos pas :
N'peux pas! N'fais pas! N'veux pas! N'f'rai pas!
Que ça circule! Qu'on se le dise!
Oh! quelqu'un perd sa marchandise!
Le jour où ça m'arrivera…
Ah! quelqu'un perd tout son barda!
Pour nous, arrêt! dispute! hourra!
Yarrh! Grr! Arrh! Urrr!
Quelqu'un se fait tabasser dur!
Nous sommes tous Enfants du Camp,
Chacun servant selon son rang;
Enfants du joug, de l'aiguillon
Et du harnais, nous bataillons.
Voyez dans la plaine, ondulée

Comme une corde déroulée,
Notre colonne se traîner
Et tout à la guerre entraîner.
Ceux qui marchent à nos côtés
Dans la poussière et le silence
Ne savent pas, en vérité,
Ce qui nous pousse, ce qui les lance
Sur ces chemins de la souffrance.
Nous sommes tous Enfants du Camp,
Chacun servant selon son rang ;
Enfants du joug, de l'aiguillon
Et du harnais, nous bataillons !

TABLE

Pour aller plus loin...

Qui est Rudyard Kipling ?

NOM :	Kipling
PRÉNOM :	Rudyard
NÉ LE :	30 décembre 1865
À :	Bombay (Inde)
DÉCÉDÉ LE :	18 janvier 1936
À :	Londres (Angleterre)
NATIONALITÉ :	anglaise
SIGNE PARTICULIER :	gloire de l'Angleterre victorienne

RACINES INDIENNES

C'est en Inde, où ses parents sont venus s'établir, que Rudyard voit le jour. Il y mène une enfance heureuse, au côté de sa sœur Alice et de leur nourrice indienne. D'ailleurs, la culture du futur écrivain est presque autant indienne qu'anglaise. En 1871, les deux enfants accompagnent leurs parents en Europe, où Rudyard restera jusqu'en 1882. Durant ces onze années, il poursuit ses études dans des établissements modestes, où il n'est guère heureux. Il y acquiert néanmoins une solide culture littéraire.

Photothèque Hachette (D.R.)

Retour à la Case Départ

Ses parents n'ayant pas les moyens de l'envoyer à Oxford, Rudyard les rejoint en Inde où ils lui ont trouvé une place de journaliste à Lahore. Entre 1882 et 1887, il collabore à divers quotidiens, et com-

Photothèque Hacbette (D.R.)

mence de publier poèmes et contes. Ces derniers lui valent une certaine notoriété parmi les Anglais installés en Inde. Son premier recueil, *Simples Contes des collines*, paraît en 1887, et beaucoup, alors, découvrent un réel talent, mélange de poésie et de réalisme.

Le Démon du Voyage

Rudyard publie, à Londres, le récit d'un long voyage, durant lequel il passe notamment par le Japon et les États-Unis. Il publie aussi des recueils de contes et de ballades. Dès 1890, il est déjà très connu dans son pays natal. Il voyage en Afrique du Sud, en Océanie, et revient encore à Londres, où il se marie en 1892, avec

Qui est Rudyard Kipling ?

Caroline Starr Balestier, la sœur d'un ami. Le couple part pour un périple autour du monde. Leur fille, Joséphine, naît la même année, et ils s'établissent dans le Vermont, aux États-Unis.

La Fièvre de l'écriture

C'est là que Rudyard va écrire, entre autres, les *Livres de la jungle* (1894 et 1895) et *Capitaines courageux* (1897). Avec ces ouvrages, il finira de conquérir le public anglais. À la suite d'une violente querelle avec son beau-frère, il quitte les États-Unis en 1896, pour aller s'établir définitivement en Angleterre. Il fera encore de fréquents voyages à travers le monde, notamment en Amérique et en Afrique.

Un Ecrivain Engagé

Dès lors, la vie de Rudyard n'est qu'un vaste engagement envers son pays, engagement qui s'exprime par des voyages incessants, des articles, des recueils de contes ou de poèmes, des romans ou des récits de guerre, tous au service ou à la gloire de l'Angleterre. Plus que jamais les questions militaires sont au centre de ses préoccupations, en particulier lors de la guerre des Boers, qui oppose, en Afrique du Sud, en 1899, les Afrikaners aux Britanniques. S'il est très écouté, en Grande-Bretagne mais aussi par-delà les frontières, il refuse de s'investir dans des fonctions officielles. En 1907, il reçoit le Prix Nobel.

Un Repos Bien Mérité

À partir des années 20, ses voyages s'apparentent de plus en plus à des tournées de prestige et à des vacances déguisées. Il connaît quelques problèmes de santé mais continue toutefois de prendre position quand une question importante se présente – dès 1932, il s'en prend à Hitler. Les deux dernières années de sa vie se déroulent dans divers lieux de villégiature, et il passe son dernier été à rédiger des notes autobiographiques. Il meurt le 18 janvier 1936, deux jours avant le roi George V, roi d'Angleterre, empereur des Indes, né comme lui en 1865.

Romans et Recueils de Rudyard Kipling Disponibles :

- *Histoires comme ça*
- *Kim*
- *Capitaines courageux*

Le Livre de la .... jungle

Où ?

Dans la jungle indienne, et sur le détroit de Behring pour *Le Phoque blanc*.

Quand ?

À la fin du XIXe siècle.

Qui ?

Des animaux de la jungle indienne, comme Bagheera la panthère, Baloo l'ours brun, Kaa le python, Shere Khan le tigre, Rikki-tikki-tavi la mangouste, Kala Nag l'éléphant.
Des humains, comme Mowgli, le petit homme élevé par les loups, ou Toomai, le jeune cornac, ami des éléphants.

Quoi ?

Quand un petit homme abandonné dans la jungle par ses parents est recueilli par les loups, qui l'adoptent et l'élèvent avec la complicité d'un ours et d'une panthère, le fragile équilibre qui régit la jungle et ses lois – sa loi – est menacé. Et les choses se compliquent encore lorsque Shere Khan, le tigre lâche et brutal, et les Bandar-log, singes aussi stupides que bavards, viennent s'en mêler... Tel est le point de départ de l'histoire de Mowgli, une histoire qui n'est qu'une péripétie au sein d'un univers riche en aventures décisives pour ceux qui les vivent.

Le Livre de la jungle en 8 mots

ANIMAUX

L'élément le plus frappant, à la lecture du *Livre de la jungle*, c'est de voir les animaux penser, parler et agir commes des êtres

Photothèque Hachette (D.R.)

humains. On peut alors parler d'anthropomorphisme, ce qui consiste justement à attribuer aux animaux des pensées et des sentiments humains. Kipling n'est pas le premier ni le dernier à utiliser ce procédé. Ainsi, avant lui, au XVIIe siècle, La Fontaine a-t-il proposé un exemple fameux avec ses *Fables* (1668 à 1694), qui mettaient en scène des animaux dotés de caractères, de

Photothèque Hachette (D.R.)

comportements ou de sentiments humains. S'il n'est pas l'initiateur du genre – mérite qui revient à Ésope, fabuliste grec des VIIe et VIe siècles avant J.-C. –, La Fontaine a innové en faisant des animaux autre chose que des allégories des vices et des vertus de l'homme : ils sont leur incarnation. Quant à Kipling, il s'éloigne définitivement de la fable, puisqu'il ne donne pas de morale ou de moralité. Au lecteur de la trouver...

BADEN-POWELL

Saviez-vous que *Le Livre de la jungle* est à l'origine du scoutisme ? Son fondateur, le général Baden-Powell, fit une carrière militaire en Inde, en Afghanistan et en Afrique du Sud. Et c'est en 1908 qu'il fonda le mouvement des boy-scouts, inspirés des jeunes éclaireurs qu'il avait formés pendant la guerre des Boers. Séduit par l'histoire de Mowgli, et son enseignement, Baden Powell l'utilisa, en l'adaptant, pour en faire les fondements de son mouvement, définis dans un livre intitulé *Le Livre des louveteaux*. Il n'y a pas une loi de la jungle, chez les scouts – ou louveteaux – mais une loi de la meute, à laquelle chacun doit se conformer en respectant quelques commandements de base. Et il y a un exemple à suivre : celui de Mowgli, qui incarne l'équilibre parfait entre force, intelligence et adresse...

COLONIALISME

On ne peut parler de ce livre sans évoquer l'impérialisme anglais, et l'une de ses manifestations les plus spectaculaires, le colonialisme, qui connut un essor sans précédent du temps de Kipling. Celui-ci restera d'ailleurs comme le poète de la grandeur britannique, d'un impérialisme élevé au rang d'instituiton – et noyau de discorde entre la Grande-Bretagne et la France. De même que, dans *Le Livre de la jungle*, l'homme doit dominer les animaux, l'Anglais doit dominer le monde : telle est, en résumé, l'idée principale. L'Angleterre étendit en tout cas son influence un peu partout : Chine, Inde, Canada, Australie, Nouvelle-

Zélande, Afrique du Sud, Égypte, Soudan et une bonne partie de l'Afrique noire. La décolonisation s'effectua progressivement après la Seconde Guerre mondiale.

ENFANCE

Le Livre de la jungle, on le sait, est en priorité destiné à un public jeune, comme une partie importante de l'œuvre de Kipling. Il s'agit pour lui d'offrir à la jeunesse une lecture qui soit distrayante, mais aussi enrichissante, en décrivant un univers différent, en montrant des facettes inédites du monde et en développant certaines idées. On peut ainsi voir dans ce recueil une défense de la famille, ainsi qu'une apologie de la loi, de la discipline et de la force. Et puis, en parlant d'enfance, on peut dire aussi que *Le Livre de la jungle* est une tentative pour restituer l'enfance du monde – monde idéal, merveilleux, un monde des origines, pur, pas encore corrompu. Un monde auquel beaucoup d'écrivains, notamment les romantiques, ont rêvé.

LOI DE LA JUNGLE

Il est beaucoup question de cette loi de la *jungle*, dans le livre. Avant d'en donner le sens, rappelons que le mot jungle vient d'un mot anglais, issu lui-même de l'hindi, et désigne, dans les pays de mousson très pluvieux, une végétation épaisse et exubérante, où les hautes herbes se mêlent en un fouillis verdoyant à des fougères, des bambous, des palmiers... Pour en revenir à la loi de la jungle, il faut distinguer deux sens. Le sens commun, le plus courant, fait de cette expression un équivalent de loi du plus fort : le plus fort, le plus puissant domine les autres, élimine ses rivaux. Dans *Le Livre de la jungle*, ce sens est différent, plus subtil : il s'agit d'une loi naturelle, dictée par la nature – la jungle en l'occurrence –, sans laquelle ce serait le chaos – celui que l'on trouve chez les Bandar-log. Selon Kipling, le "peuple libre" obéit à la loi ; il est précisément libre parce qu'il lui obéit.

POSTÉRITÉ

Kipling a perdu une bonne part de l'audience qu'il avait en son temps. Ses livres les plus engagés et ses poésies ne sont plus lus que par un public restreint ; et ses écrits pour la jeunesse, qui ont moins vieilli, ne sont plus des lectures presque obligatoires, comme elles le furent durant plusieurs décennies. Comment expliquer cette désaffection ? Le style de Kipling a-t-il vieilli ? Les thèses et les idées qu'il défend sont-elles périmées, voire " politiquement incorrectes " ? C'est tout cela à la fois. Mais peut-être ne s'agit-il que d'un purgatoire... En une époque où beaucoup se plaignent de ne plus avoir de repères, on pourrait bientôt voir Kipling revenir au premier plan.

SECOND LIVRE DE LA JUNGLE

En 1894, Rudyard Kipling publia le *Second livre de la jungle*, qui est une suite du premier. On y trouve huit contes, dont cinq ont de nouveau Mowgli pour héros. Un Mowgli plus âgé, plus vigoureux aussi, qui va notamment amener la jungle à envahir un village pour se venger de ses habitants, qui va mener les loups à la

victoire contre les hardes de chiens et qui
va sentir monter en lui un trouble inconnu : il quittera
le monde de la jungle pour rejoindre, définitivement,
celui des hommes. On considère souvent que ce
second livre est moins "enfantin" que le premier :
Mowgli est plus âgé, et les aventures qu'il vit, les
sentiments qui l'animent, sont plus violents.

Photothèque Hachette (D.R.)

WALT DISNEY

En 1967, sortait un dessin animé intitulé *Le Livre de la
jungle*. Très librement adapté du livre de Kipling, il
n'en avait gardé que l'histoire de Mowgli. C'était une
matière en or pour Disney, adepte de l'anthropomorphisme et ami des enfants. Les cinéphiles, et plus

encore les admirateurs de Kipling, dédaignent ce dessin animé, mais les jeunes spectateurs – et aussi les moins jeunes – continuent d'apprécier ce film plein de rythme et de fantaisie. On peut dire que sans lui, *Le Livre de la jungle* serait moins lu qu'il ne l'est... À noter que Walt Disney est mort en 1966, et que les aventures de Mowgli furent le dernier long métrage qu'il signa.

3 clés pour

UN HÉROS... DES HÉROS

En fermant *Le Livre de la jungle*, on peut se demander ce qui unit les contes qui le composent. Certes, six d'entre eux ont le même décor : la jungle indienne ; et trois ont le même personnage principal : Mowgli. Mais leur véritable point commun, c'est de faire suivre au lecteur la trajectoire de différents héros, qui vont chacun vivre une aventure décisive, initiatique, héroïque, en ce sens qu'ils se dépassent pour accéder à leur condition véritable, leur vérité. Mowgli, le petit homme élevé par les loups, finira par rejoindre les siens ; Rikki-tikki-tavi, la courageuse mangouste, va gagner la considération et l'affection de ceux qui l'ont recueillie ; Kal Nag, l'éléphant domestique, décidera de retourner à l'état sauvage. À travers eux, on retrouve un thème cher à Kipling : le culte du héros. Beaucoup de lecteurs, d'ailleurs, ont avoué avoir cherché chez notre auteur une conception héroïque de la vie. Néanmoins, de tous ces personnages, c'est celui de Mowgli qui marque le plus les esprits. Parce que l'identification est plus simple. N'est-il pas un être humain ? Certes... Toutefois, s'il a en effet l'apparence d'un homme, il a beaucoup de points communs avec les animaux. Élevé parmi eux, il ignore le danger et la crainte, il apprend l'amitié et

un roman

devine la haine ; il sait communiquer avec les bêtes, il sait interpréter la moindre odeur, le moindre bruit. Et les animaux, de leur côté, pensent et agissent comme des humains... Dans le monde de la jungle, chacun a droit au statut de héros.

S COMME... SYMBOLISME

Le Livre de la jungle est ainsi fait que chacun, selon son âge, ses centres d'intérêt ou sa culture, peut y trouver ce qui lui correspond. On peut ainsi distinguer trois niveaux de lecture : *Le Livre de la jungle* serait un livre d'aventures, dont la plus marquante est celle de Mowgli, enfant élevé dans la jungle parmi les loups. Un autre lecteur verra dans *Le Livre de la jungle* une fable animale : les animaux, qui pensent, parlent et agissent à la manière d'être humains, ne sont pas là par hasard, ils ne sont pas de simple figurants ou des acteurs secondaires ; ils ont un rôle actif, une personnalité bien marquée, qui chaque fois permettra d'introduire une moralité, d'illustrer un précepte. Enfin, un lecteur au fait du contexte historique dans lequel fut écrit *Le Livre de la jungle* y verra l'illustration d'une thèse nationaliste : à savoir la supériorité du peuple anglais, peuple fort parce qu'il obéit à la loi du clan, sur le singe " français ", le Bandar-log, qui bavarde et

3 clés pour un roman

s'agite dans le vide. Certains ont également vu dans ces contes une réaction de Kipling face à la société américaine, véritable "jungle". Malgré la diversité de ses niveaux de lecture, malgré son contenu moral, politique et philosophique, le livre de Kipling conserve son unité ; et sans doute reste-t-il avant tout une merveilleuse œuvre de l'imagination.

Un Style aux Mille Facettes

Écrire en noir et blanc...

Un des recueils de Kipling s'intitule *En blanc et noir*, et justement on pourrait dire que notre auteur écrit ainsi : comme un dessinateur qui proposerait des croquis du monde, stylisés et exécutés avec vigueur. Chez lui, pas de fioritures : on va directement à l'essentiel. Et l'univers décrit dans les récits n'a rien de mièvre : il n'y a qu'à voir la fréquence avec laquelle reviennent certains termes de violence, notamment le verbe "tuer", les mots "guerre" ou "mort". Chacun sert à symboliser des caractéristiques fondamentales qui s'opposent : la force et la faiblesse, la brutalité et la ruse, la bonté et la méchanceté, le courage et la lâcheté, l'amour et la haine.

Sans doute faut-il voir là l'influence du journalisme.

Kipling a eu tout le loisir de s'entraîner durant les années où il travailla en Inde : chaque jour, il devait livrer un récit divertissant d'environ une page. Après une telle discipline, on peut tout faire.

... ET EN COULEURS

Mais Kipling, s'il a le sens du raccourci qu'exige des textes courts, aime aussi jouer avec la langue : il mélange le langage familier, quotidien, les archaïsmes et les mots étranges ou étrangers, il intercale entre les contes des poèmes ou des chansons, qui font pénétrer le lecteur dans un autre monde.

Étrange univers que celui que décrit Kipling ! Il nous plonge dans un décor bien réel, celui de la jungle indienne... en même temps qu'il nous fait découvrir un univers totalement imaginaire, dans lequel les animaux pensent et agissent comme des êtres humains. De cette confrontation entre le réel et l'imaginaire, naît un monde poétique, qui fait tout le charme du *Livre de la jungle*. Pour ses décors, Kipling s'est moins basé sur de la documentation que sur sa propre expérience. Il ne se soucie pas d'être d'une parfaite exactitude – ce qui à force pourrait être pesant. Il touche ainsi d'autant mieux l'imagination du lecteur, l'entraînant là où il l'entend. Il joue avec les croyances populaires de l'Inde et avec les légendes ancestrales, et il donne à ses contes le charme du merveilleux et la profondeur du mythe : Mowgli est élevé par les loups, de même que Remus et Romulus, lequel fut, selon la mythologie, le premier roi de Rome ; Mowgli va voler le feu chez les hommes tout comme Prométhée. Kipling se joue aussi de la nostalgie de chacun pour un monde primitif, un monde des origines de l'humanité, où tout est poésie, sentiment, héroïsme : un monde plein de jeunesse qui emporte l'imagination.

À vos plumes

Bien des romans ont pour héros des animaux. Si vous-même étiez romancier, **quels animaux** (ou quel animal) **et quel décor choisiriez-vous ?** Tracez les grandes lignes d'une histoire.

À la manière des poèmes et chansons contenus dans *Le Livre de la jungle*, **imaginez une chanson** dépeignant la vie dans un collège, ou un lycée, et ses occupants – élèves, professeurs, etc. Le ton pourra être moqueur...

Pour chaque conte du *Livre de la jungle*, proposez un court résumé, dans un style journalistique, **comme si vous aviez à rendre compte rapidement d'une nouvelle.** Accompagnez chacune d'un titre accrocheur.

Nous sommes en 1894, vous êtes éditeur, et vous venez de recevoir le manuscrit du *Livre de la jungle*. Quel serait votre avis sur le livre ? Le publieriez-vous ? **Rédigez la lettre, enthousiaste ou non**, que vous adresseriez à son auteur.

« Citations & expressions »

Animaux... Ani-mots ! Les animaux sont omni-présents, dans *Le Livre de la jungle*, et ils ont une personnalité, un caractère bien définis. Et justement, on retrouve les animaux dans le langage, quand il s'agit de définir des caractères. Voici un petit échantillon, que vous pourrez compléter :

« ÊTRE   D'UNE HUMEUR DE CHIEN
              BAVARD COMME UNE PIE
              DOUCE COMME UNE CHATTE
              GAI COMME UN PINSON
              TÊTU COMME UN ÂNE
              MYOPE COMME UNE TAUPE
              RUSÉ COMME UN RENARD
              FRAIS COMME UN GARDON
              MAUVAIS COMME UNE TEIGNE
              LAID COMME UN POU
              UNE TÊTE DE LINOTTE
              UN REQUIN
              UN OURS **»**
« AVOIR   UNE FAIM DE LOUP
              DES YEUX DE LYNX
              UNE CERVELLE D'OISEAU **»**
« SE FERMER COMME UNE HUÎTRE **»**

Autour du Livre de la jungle

Pour qui a lu *Le Livre de la jungle* et quelques-unes des aventures de Tarzan, la parenté entre Mowgli et Tarzan est évidente – même si Edgar Rice Burroughs, le créateur de Lord Greystoke, n'a jamais vraiment reconnu sa dette à l'égard de Kipling. Cet extrait du *Fils de Tarzan* vous permettra de vous faire une idée...

« Tarzan se tourna vers son fils.
" Viens ", dit-il en l'emmenant hors du cirque.
Pendant plusieurs minutes, aucun d'eux ne se décida à parler. Ce fut le garçon qui rompit le silence.
" Le singe vous connaissait, dit-il, et vous parlez tous deux le langage des singes.
Comment est-ce possible ? "
Alors, pour la première fois, Tarzan des Grands Singes raconta son enfance à son fils, sa naissance dans la jungle, la mort de ses parents, et la façon dont Kala, la grande femelle anthropoïde, l'avait allaité et élevé depuis sa plus tendre enfance jusqu'à sa maturité. Il lui parla aussi des dangers et des horreurs de la jungle, des grands animaux qui vous traquent jour et nuit, des périodes de sécheresse et des pluies diluviennes, de la faim, du froid, de la chaleur accablante, de la nudité, de la peur et de la souffrance. Mais dans son récit il oublia une chose, une chose très importante. C'est que le garçon qui était près de

lui et qui l'écoutait avec une attention dévorante était
le fils de Tarzan des Grands Singes... **»**
(Edgar Rice Burroughs, *Le Fils de Tarzan*
Bibliothèque Verte, Hachette)

En 1929, André Demaison fit paraître un recueil intitulé *Le Livre des bêtes qu'on appelle sauvages*. L'ouvrage eut un grand succès, et fut suivi de plusieurs autres qui assirent la réputation de leur auteur comme écrivain animalier et firent de lui le Kipling français. Voici un extrait de *La Comédie animale*, paru en 1931, qu'il écrivit en s'inspirant de son séjour en Afrique.

« C'est au milieu du parc de la Résidence que
je faillis buter sur Kolda, qui se prélassait au soleil
et semblait s'ennuyer. Je me penchai, lui grattai
la nuque et les oreilles. Le guépard releva à peine
la tête, mais ne fit pas entendre le ronron guttural
qui chez ces fauves témoigne de leur satisfaction.
À la manière des chats mais d'une rugosité qui
s'explique aisément par la différence de poids et
de taille.
Tout en parcourant les flancs de la bête, j'admirai
la fantaisie de la nature qui crée, de-ci de-là, des
formes intermédiaires de la vie. Ainsi en Australie,
terre des phénomènes animaux, un mammifère à
bec de canard et pondeur d'œufs ; chez nous les
mammifères volants que sont les chauves-souris ;

ailleurs, et dans la même ligne, les vampires, les roussettes et les renards volants, et ici le guépard. Bien sûr, on peut l'apparenter (selon la mode politique) à la panthère et au chat-tigre dont il revêt la robe mouchetée afin de mieux se camoufler dans l'herbe des plaines ; mais il se promène, court et saute sur des pattes de chien aux ongles rétractiles. Depuis longtemps je cherchais à posséder un de ces animaux. Il m'aurait changé des lionceaux qui grandissent trop vite, deviennent encombrants, même et surtout s'ils restent des amis intimes ; tout comme les grands oiseaux de brousse qui finissent toujours par reprendre la liberté des airs ; sans compter les biches trop fragiles et les antilopes trop rudes qui jouent maladroitement de leurs cornes en manifestant leur joie et leur humeur. La chance ne m'avait pas jusque-là favorisé.

Kolda était une femelle, inférieure par la taille et le volume au plus chétif des mâles de son espèce. Elle ne se dressa pas sous mes caresses, n'agita pas la queue. Tout au plus son œil, de côté, semblait m'adresser une supplication et me confier son ennui. **»**

André Demaison, *La Comédie animale* (Flammarion)

Au début du XIXe siècle, le médecin Jean Itard suivit le cas étrange d'un enfant trouvé à l'état sauvage dans l'Aveyron : ses deux études sur Victor de l'Aveyron lui vaudront la célébrité. Voici un extrait de la première étude.

« Un enfant de onze ou douze ans, que l'on avait entrevu quelques années auparavant dans les bois de la Caune, entièrement nu, cherchant des glands et des racines dont il faisait sa nourriture, fut dans les mêmes lieux, et vers la fin de l'an VII, rencontré par trois chasseurs qui s'en saisirent au moment où il grimpait sur un arbre pour se soustraire à leurs poursuites. Conduit dans un hameau du voisinage, et confié à la garde d'une veuve, il s'évada au bout d'une semaine et gagna les montagnes où il erra pendant les froids les plus rigoureux de l'hiver, revêtu plutôt que couvert d'une chemise en lambeaux, se retirant pendant la nuit dans des lieux solitaires, se rapprochant, le jour, des villages voisins, menant ainsi une vie vagabonde, jusqu'au jour où il entra de son propre mouvement dans une maison habitée de Saint-Sernin.

Il y fut repris, surveillé et soigné pendant deux ou trois jours ; transféré de là à l'hospice de Saint-Affrique, puis à Rodez, où il fut gardé plusieurs mois. Pendant le séjour qu'il a fait dans ces différents endroits, on l'a vu toujours également farouche, impatient et mobile, chercher continuellement à s'échapper, et fournir matière aux observations les plus intéressantes. »

Jean Itard, *Victor de l'Aveyron* (coll. 10/18)

La Route des Indes, d'Edgard Maurice Foster, publié en 1924, posait la question de l'impérialisme anglais. En voici la fin, avec la confrontation entre Aziz, l'Indien, et le Pr Fielding, l'Anglais.

« Et Aziz, fou de rage, dansant de droite et de gauche sans savoir que faire, cria :

— À bas les Anglais en tout cas. Voilà qui est sûr. Déguerpissez, mes amis, et en vitesse vous dis-je. Nous pouvons nous haïr mutuellement mais c'est vous que nous haïssons le plus. Si je ne vous fais pas partir, Ahmed le fera, Karim le fera, et s'il nous faut cinquante fois cinq cents ans, nous nous débarrasserons de vous quand même, oui, nous flanquerons tous les Anglais du diable à la mer et alors — il précipita son cheval contre celui de Fielding — et alors, conclut-il en l'embrassant à demi, vous et moi pourrons être amis.

— Et pourquoi ne pas être amis tout de suite ? dit l'autre en le saisissant affectueusement. C'est ce que je veux, c'est ce que vous voulez.

Mais les chevaux ne le voulaient pas, ils se séparèrent d'un bond ; la terre ne le voulait pas, dressant des rocs au travers desquels les cavaliers ne pouvaient passer qu'un à un ; les temples, la citerne, la prison, le palais, les oiseaux, les charognes, la Maison des Hôtes qu'ils aperçurent, en débouchant du défilé, avec Mau à leurs pieds : rien ne le voulait, et tous disaient de leur cent voix : " Non, pas encore ! ", et le ciel disait : " Non, pas ici ! " **»**

Edgard Maurice Foster, *La Route des Indes*
(folio, Gallimard)

Bibliographie

Quelques livres pour se plonger dans l'univers des loups...

📖 JACK LONDON

L'Appel de la forêt : l'histoire du chien Buck qui, arraché à une vie domestique, va connaître la terrible existence des chiens de traîneau, pour ensuite revenir vers ses frères loups, sauvages.

📖 JAMES OLIVER CURWOOD

Bari chien-loup : le destin de Bari, jeune chien-loup qui va découvrir le monde et ses cruautés, l'univers des hommes, et lui aussi retourner à la vie sauvage et solitaire.

📖 FLORENCE REYNAUD

La demoiselle des loups : au XIIe siècle, une jeune fille s'enfuit de chez son père et trouve refuge auprès des loups de la forêt du Périgord.

Tous ces livres sont disponibles chez Hachette Jeunesse.

Filmographie

Le film qui vient tout de suite à l'esprit est le dessin animé de Walt Disney, sorti dans les salles en 1967. On l'a dit, il utilise avec beaucoup de liberté l'histoire de Mowgli. Comme autres films, on peut citer Elephant Boy *de Robert Flaherty et Zoltan Korda (1937),* The Jungle Book (Le Livre de la jungle) *de Zoltan Korda (1942) – deux très beaux films, avec l'acteur Sabu – ou encore, moins intéressant,* Rikki-Tikki-Tani, *d'Alexander Zguridi (1975).*

Témoignage

POUR AVOIR UN AUTRE ÉCLAIRAGE SUR *LE LIVRE DE LA JUNGLE*, ET NOTAMMENT SUR SON AUTEUR, NOUS AVONS RENCONTRÉ FRANÇOIS RIVIÈRE, JOURNALISTE, ÉCRIVAIN* ET GRAND AMATEUR DE LITTÉRATURE ANGLAISE.

Pour commencer, j'ai envie de dire : enfin quelqu'un qui a lu Le Livre de la jungle *! Car j'ai l'impression que tout le monde connaît ce livre, mais que peu de gens en définitive l'ont lu...*

C'est vrai, Rudyard Kipling est beaucoup moins lu qu'il ne l'était dans la première partie de ce siècle. Et curieusement, c'est encore plus vrai en Angleterre qu'en France. Dans son pays natal, où on le considéra longtemps comme un monument national, il est très négligé, voire parfois considéré de façon très critique – il en va souvent ainsi des héros nationaux, dont on brûle l'effigie après les avoir adulés. En France, en revanche, il jouit toujours d'une grande considération. Il faut dire qu'il fut un francophile convaincu. Il a toujours aimé la France, s'est toujours intéressé à ce qui s'y passait. On l'a notamment vu s'engager avec force durant la Première Guerre mondiale, durant laquelle il perdit son fils – en France, justement.

Mais alors, les Bandar-log ne seraient pas une caricature des Français ?

Personnellement, je ne le crois pas. Lui-même ne l'a jamais dit. Ce sont plutôt certains critiques qui lui ont prêté cette intention. En fait, il semblerait qu'il n'ait pas été bien compris – lui comme son œuvre, du reste. J'aime voir en Kipling quelqu'un qui a toujours voulu rester un enfant – une nostalgie dont on peut retrouver l'origine dans les inoubliables premières années de sa vie, passées en Inde. Sa vision du monde est poétique, idéaliste. Le fait que Baden-Powell se soit inspiré de lui pour le scoutisme n'est pas si étonnant : Kipling, d'une certaine manière, voyait le monde comme un vaste camp de scouts. Contrairement à ce que certains croient, c'était un libéral, qui ne s'est jamais engagé dans la vie politique afin de rester libre justement.

> J'aime voir en Kipling quelqu'un qui a toujours voulu rester un enfant.

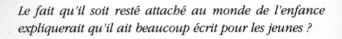

Le fait qu'il soit resté attaché au monde de l'enfance expliquerait qu'il ait beaucoup écrit pour les jeunes ?

Kipling aimait les enfants, il adorait leur raconter des histoires. Et, comme vous l'avez dit, il a beaucoup écrit pour eux – cet artiste complet a

> **Kipling aimait les enfants, il adorait leur raconter des histoires.**

même illustré l'un de ses recueils, les *Histoires comme ça* pour les petits (1902). Pour mieux le découvrir encore, je conseille la lecture de *Kim* (1901), qui est sans aucun doute son chef-d'œuvre.

Vous-même avez fait de Kipling le personnage d'un de vos romans...

Oui, il s'agit du *Livre de Kipling*, un roman policier publié dans la célèbre collection Le Masque. On y retrouve Kipling en compagnie de Rider Haggard, autre romancier de l'époque, dont il s'est d'ailleurs inspiré pour *Le Livre de la jungle*. J'ai aussi réalisé pour la télévision un épisode de la série "Un siècle d'écrivains" consacré à Kipling. C'est ma façon d'aider à ce que le personnage de Kipling survive...

(Propos recueillis par J.-C. Napias)

*François Rivière a écrit *Mystère au cirque* dans Livre de Poche Jeunesse.

CONCEPTION : *Solange de Fréminville & Anne-Laure Brisac*
RÉDACTION : *J.-C. Napias*
EDITION : *Valérie Einhorn*
MAQUETTE : *Les créations Sauvage*
ICONOGRAPHIE : *Photothèque Hachette (droits réservés)*

IMPRIMÉ EN FRANCE PAR BRODARD ET TAUPIN
Usine de La Flèche, 72200.
Dépôt légal imprimeur : 1373 T-5 – Éditeur : 6742
32-10-1629-01-8 – ISBN : 2-01-321629-7

Loi n° 49-956 du 16 juillet 1949 sur les publications destinées à la jeunesse.
Dépôt légal : janvier 1998.